2nd Edition

외과 영양지원에 대한 실제적인 진료 지침서

외과대사영양 지침서

대한외과대사영양학회

외과대사영양 지침서

둘째판 1쇄 인쇄   2020년 7월 13일
둘째판 1쇄 발행   2020년 7월 20일

지　은　이 대한외과대사영양학회
발　행　인 장주연
출 판 기 획 장희성
책 임 편 집 이경은
편집디자인 양란희
표지디자인 김재욱
일 러 스 트 김경렬
발　행　처 군자출판사(주)
　　　　　　등록 제4-139호(1991. 6. 24)
　　　　　　(10881) 파주출판단지 경기도 파주시 회동길 338(서패동 474-1)
　　　　　　전화 (031) 943-1888 팩스 (031) 943-0209
　　　　　　www.koonja.co.kr

ISBN 979-11-5955-583-1
정가 30,000원

nd Edition

과 영양지원에 대한
제적인 진료 지침서

외과대사영양
지침서

대한외과대사영양학회

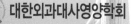
대한외과대사영양학회

군자출판사

대한외과대사영양학회 가이드라인/임상시험위원회(2013)

이혁준 _ 서울대학교병원, 위원장

박준석 _ 칠곡경북대학교병원

박지원 _ 서울대학교병원

서경원 _ 고신대학교 복음병원

이인규 _ 가톨릭대학교 여의도성모병원

정미란 _ 화순전남대학교병원

황대욱 _ 울산대학교 서울아산병원

허 훈 _ 아주대학교병원

공성호 _ 서울대학교병원, 간사

이재길 _ 연세대학교 세브란스병원

백무준 _ 순천향대학교 천안병원

박도중 _ 서울대학교병원

이인규 _ 가톨릭대학교 서울성모병원

박종훈 _ 대구파티마병원

이혁준 _ 서울대학교병원

한동석 _ 보라매병원

정병욱 _ 동국대학교 경주병원

박성흠 _ 고려대학교 안암병원

CONTENTS

● 초판 발간사

영양과 대사에 관한 문제들은 환자 치료성적에 지대한 영향을 미치는 중요한 인자이지만 약물이나 수술적 치료에 비해 현장에서 간과되기 쉬운 요소로 잘 알려져 있습니다. 이러한 중요성에 대한 관심은 최근 들어 더욱 강조되고 있으며, 특히 역사적으로 외과의들은 일찍이 영양의 중요성을 인식하여 영양과 관련한 의학발전에 크게 기여하였고 지금도 각 병원에서 영양지원팀을 주도하며 중요한 역할을 하고 있습니다.

우리나라에서도 적절한 영양지원의 표준화에 뜻을 같이한 외과의들이 1994년 11월 외과대사영양연구회로 모여 그동안 국내 영양지원 발전에 지대한 역할을 해 왔으며, 이후 2010년 3월에는 대한외과대사영양학회로 발전하여 주요 병원에서의 영양지원 시스템과 학문적 발전, 교류와 교육에 이바지하고 있습니다.

대한외과대사영양학회에서는 이러한 영양지원 문제의 중요성을 인식하여 외과의들, 특히 외과전공의들이 임상에서 쉽게 참고할 수 있는 지침서의 개발의 필요성에 대해 인식하고 이번에 외과대사영양 지침서 제1판을 발간하게 되었습니다.

여러 국내외 영양관련 자료들이 외과의들이 현장에서 부딪히는 외과의 특수한 상황들에 적용하는 데에 한계가 있는 점을 생각할 때, 외과 전공의들이 쉽게 휴대하며 참고할 수 있도록 제작된 이번 외과대사영양 지침서는 전공의 교육과 표준화된 영양지원에 큰 도움이 될 것으로 기대합니다.

바쁜 일정 가운데에도 귀한 시간을 할애하여 성공적으로 지침서를 발간한 대한외과대사영양학회 가이드라인 위원회의 이혁준 위원장 및 여러위원님들과, 초안을 검토하고 발전적 제안을 해주신 이사회 검토위원 여러분에게 큰 감사를 드립니다.

총론에 집중된 초판으로서 아직 미흡한 부분들이 많을 수 있으나 각론과 더 필요한 부분들이 추가될 향후 개정에서는 더욱 완성된 모습으로 발전할 수 있도록 독자 여러분의 관심 어린 사랑과 조언을 부탁드립니다.

2013년 10월

대한외과대사영양학회

2대 회장 전 해 명

● 발간사 (개정판)

외과대사영양지침서가 편찬위원회의 열정적인 노력으로 개정판을 발간하게 되었습니다. 현대의학에서 근거중심의 가이드라인을 활용하여 진료에 적용하는 것이 바람직하지만 임상현장에서 가까이 두고 참고할 수 있는 영양치료분야의 지침서는 찾기 힘든 것이 현실이었습니다. 본 학회에서는 외과의사들이 영양불량환자에 대한 영양지원의 중요성을 인식하고 임상에서 쉽게 참고할 수 있도록 6년 전 지침서 1판을 발간하여 많은 독자들, 특히 전공의들에게 큰 도움이 되었습니다.

초판 발간 당시 영양집중치료료도 제정되지 않았던 열악한 환경임에도 불구하고 많은 선생님들의 각고의 노력이 이어졌고 국내외의 우수한 논문들이 발표되었으며 특히, 지방수액제제의 많은 발전이 이루어졌습니다.

초판에서 영양치료의 각론을 충분히 담지 못했던 아쉬움으로 이번 개정판에서는 암, 소아, 화상, 비만을 포함한 특수 환자군에서의 영양지원 파트를 보강하였습니다. 하지만 외과 영양 지원에 대한 방대한 지식을 담기에는 충분치 않으며 다음 개정판에서 더욱 보완되기를 기대합니다.

    2020년 올해 대한외과대사영양학회가 창립한 지 10주년이 되는 해에 맞추어 개정판이 발간되어 매우 뜻깊게 생각하며, 아무쪼록 본 지침서가 우리 학회 회원뿐 아니라 외과환자의 영양지원을 다루는 모든 분들께 도움이 되고 친구처럼 편안한 필독서가 되기를 소망합니다.

2020년 7월

대한외과대사영양학회

회장 이 문 수

● 초판 머리말

외과 환자에 있어서 영양 지원의 역할은 외과적 치료에 있어서 매우 중요한 위치를 차지하고 있습니다. 하지만 국내는 물론 해외에서도 외과 의사들이 실제 임상에서 손쉽게 참고할 수 있는 지침서는 거의 찾아볼 수 없는 것이 현실입니다. 실제로 흔히 참고하는 ASPEN이나 ESPEN의 각종 가이드라인이나 지침서들은 수술 전후 영양 지원에 대해서 아주 간단하게만 언급하고 있습니다. 이에 대한외과대사영양학회 차원의 프로젝트로 본 "외과대사영양 지침서"를 출판하게 되었습니다.

본 지침서는 외과 전공의들을 주독자층으로 하여 제작되었습니다. 하지만 외과 전문의, 타과 전문의, 의과대학 학생, 영양사, 약사, 간호사 등도 두루 참고할 수 있는 자료가 될 수 있도록 만들었습니다. 국내외 외과 영양 분야의 주요 연구 결과 및 ASPEN, ESPEN, 국내 의료기관에서 기출간된 지침서 등을 참고하였습니다. 또한 의료보험 적용 여부 등의 국내 현실을 반영하여 실제적인 진료 지침서가 될 수 있도록 노력하였습니다.

중환자의 영양 지원 등 일부 분야에 있어서 아직 논란이 있는 부분은 상반된 의견을 모두 제시하였습니다. 하지만 외과 영양 지원과 관련된 방대한 지식을 모두 정리하여 담기에는 부족한 점이 아직 많다고 생각합니다. 특히 암, 이식, 화상, 소아, 노인, 비만 등 특수 환자군에서의 영양 지원 부분은 본 지침서에 포함시키지 못하였고, 주로 총론적 부분을 중심으로 다루었습니다. 이 부분에 대해서는 추후 개정판을 통해 보완할 예정입니다.

아무쪼록 본 지침서가 외과 환자의 영양 지원을 다루는 모든 분들께 도움이 되기를 바랍니다.

2013년 10월

대한외과대사영양학회 가이드라인/임상시험위원장 이 혁 준

● 개정판 머리말

병원 내에서 영양불량환자에 대한 치료와 중재에 주도적 역할을 감당하고 있는 외과의사들의 모임인 대한외과대사영양학회에서 발간한 초판 외과대사영양지침서가 세상에 나온 지 벌써 7년이 되었습니다. 주독자층을 특정하지 않고 외과 전공의뿐 아니라 외과 전문의, 타과 전문의, 의과대학 학생, 영양사, 약사, 간호사들도 두루 참고할 수 있도록 쉽고 일상적으로 흔히 쓰는 용어를 사용하여 독자들의 많은 사랑을 받았습니다.

초판이 나온 이후 실제 의료현장에서 영양치료분야는 많은 발전을 이루었고, 현장의 상황 또한 상당한 변화들이 있었습니다. 정맥영양분야에서 지방수액제의 발전은 가이드라인들의 변화를 가져왔고, 영양집중치료료가 제정되어 각 병원 단위로 영양집중지원팀의 인적 보강도 이루어졌습니다.

이러한 변화에 발맞추어 현장의 필요에 부응하고자 개정판을 발간하게 되었습니다. 또한 초판 발간 당시 총론에 집중하여 담지 못했던 암, 소아, 화상, 비만환자의 영양지원에 관한 내용을 추가하여 실무에 적용할 수 있도록 하였습니다.

출간을 앞두고 독자의 필요에 얼마나 만족할 수 있을지 부끄러운 마음이 앞서지만, 독자들의 애정 어린 마음과 조언을 통해 다음번 개정에 더욱 분발할 것을 기대해 봅니다.

2020년 7월

대한외과대사영양학회 편찬위원장 서 경 원

01

외과 대사 및
영양의 특징

외과 대사 및 영양의 특징

- 수술 및 외상 환자에서의 영양불량 빈도는 35~60%로 높게 보고됨. 이는 합병증 증가 및 재원기간의 연장 등 불량한 예후와 관계되며 적절한 영양지원이 이를 호전시킬 수 있음.

- 손상에 대한 대사적 반응은 신경내분비계 및 면역체계의 복잡한 상호작용에 기인하며, 단백 분해 등 이화작용을 특징으로 하는 과대사상태(hypercatabolism)가 됨.

- 대사적 반응의 정도는 손상의 정도 및 종류에 따라 결정되며, 그 외 각종 환자 요인(유전적 소인, 동반 질환, 치료 약물, 영양 상태)이나 손상과 관련된 추가 합병증 등에 의해 결정됨.

- 손상에 대한 대사적 반응 및 회복의 단계는 초기 스트레스호르몬 및 염증성 시토카인 등의 분비에 의한 이화기(ebb-flow phase, adrenergic-corticoid phase)에서 동화호르몬의 증가에 따른 동화기(anabolic phase, muscular strength phase-fat gain phase)로 진행되게 됨.

- 최근 ebb-flow phase 후에 따르는 Late Phase (or Post-acute phase) 개념이 도입되어 초기 손상의 개선 및 재활 또는 지속적인 염증/이화작용 상태로 장기간의 입원으로 이어짐을 강조.

1 서론

일반적으로 수술 및 외상 환자의 경우 손상에 대한 반응으로 과대사상태(hypermetabolism)가 된다. 또한 수술 전후의 검사나 치료를 위한 경구섭취 제한이 빈번해 적절한 영양공급이 이루어지지 않는 경우가 많고 치료를 위해 사용하는 여러 약물이나 신체활동의 감소가 단백분해를 포함한 이화반응(catabolism)을 가속화시켜 영양불량 발생의 위험성이 높다.[1,2] 실제 입원 환자를 대상으로 한 여러 연구에서도, 수술환자에서의 영양불량 빈도는 35~60%로 상당히 높게 보고되고 있다.[3,4] 이러한 영양불량은 술후 합병증 증가 및 재원기간의 연장 등 불량한 예후와 관계되며,[5] 적절한 영양지원이 이러한 임상 경과를 호전시킬 수 있음 역시 밝혀져 있다.[6] 그러므로, 손상에 대한 우리 몸의 대사적 반응의 기전을 이해하여, 그를 기반으로 대사적 반응을 최소화하기 위한 노력 및 적절한 영양지원을 하는 것은 외과환자의 진료에 있어서 매우 중요한 사항 중 하나라 할 수 있다(그림 1).

2 금식 중 대사 변화[7-9]

비스트레스성 금식 동안의 대사는 신체 대사 변화의 기초 자료를 제공한다. 수질 및 외상 환자의 경우 치료 목적 또는 환자의 상

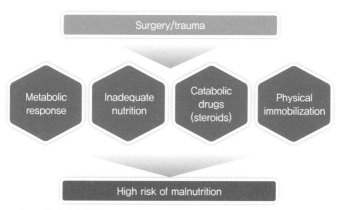

그림 1. 수술 및 외상 후의 대사변화

태에 의해 금식 상태를 비교적 흔하게 경험하게 되며, 이는 손상으로 인한 대사적 장애를 악화시키는 요인이 되기도 한다. 금식에 대한 우리 몸의 반응은 단기 금식 상태와 장기 금식 상태로 나누어 기술할 수 있다.

1) 단기 금식

포도당에 의존적인 뇌를 비롯한 신경세포 및 백혈구, 적혈구 그리고 신 수질에 하루 약 180 g (70 kg 성인 기준)의 포도당을 공급하기 위한 변화이다. 금식 초기에 간에 저장되어 있던 당원이 급속히 고갈되면서 혈당이 떨어지게 되고(16시간 이내), 이는 인슐린 분비 감소와 더불어 glucagon, epinephrine, cortisol의 분비를 증가시키게 된다. 이러한 호르몬 변화로 인해 저장 지방이 글

리세롤 및 지방산으로 분해되어 전자는 간에서 포도당신합성
(gluconeogenesis)에 이용되고 후자는 다른 조직의 에너지원으로 사
용된다. 골격근의 단백질 또한 파괴되어 포도당신합성에 필요한
아미노산을 공급하게 되며 요중 질소 분비가 7~10 g/day로 증가
하게 된다.

2) 장기 금식

금식 기간 동안 증가된 지방 분해로 인한 과다한 acetyl-CoA
는 간에서 케톤체를 형성하며, 3일이 경과되면 뇌나 심장 등의 생
체 장기들이 에너지원으로 이를 사용하기 시작하여 몇 주 후에는
케톤체가 주요 에너지원이 된다. 또한 골격근 등에서의 비산화적
해당 과정으로 인해 젖산이 증가되어 암모니아 생성을 위해 신장
에서 포도당신합성이 이루어지기 시작하며, 신장은 장기 금식 동
안의 포도당신합성의 주요 장소가 된다. 기초대사량의 감소 및
뇌의 케톤체 사용으로 아미노산에 의한 포도당신합성이 감소하
여 골격근 단백 분해가 줄어들어 요중 질소 분비가 2~5 g/day로
안정화된다. 이러한 상태는 저장 지방이 소모될 때까지 유지되며
기간은 저장 지방의 양에 따라 결정된다(그림 2).

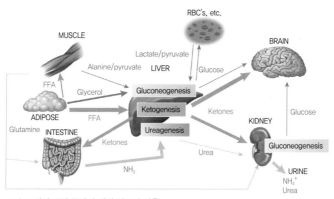

그림 2. 장기 금식 동안의 체내 연료의 사용.
FAA, free fatty acid; RBCs, red blood cells.

3 손상에 대한 대사적 반응[8-14]

수술, 외상, 화상 등의 손상이 가해져 우리 몸의 항상성이 깨지면 이를 복원하기 위한 여러 특징적인 변화들이 일어나게 된다. 이는 신경계, 내분비계, 면역계 등 열 체계의 복잡한 상호 작용에 기인한 대사적 반응으로, 약물이나 영양 공급 등의 외부적 요인에 의해 조절되기도 한다.[10]

조직 손상 및 염증 신호는 구심성 신호 경로에 의해 중추신경계에 인지되며 교감신경계–부신수질 반응에 의해 혈중, catecholamine 농도가 증가되어 심박수와 심박출량의 증가, 말초혈관의 수축이 일어난다. 뇌하수체 후엽에서 항이뇨호르몬

(antidiuretic hormone, ADH)이 분비되고 renin-angiotensin system (RAS) 활성화로 소변량이 감소된다. 이러한 변화는 생체 주요 장기에 적절한 혈류를 유지하기 위한 즉각적인 반응으로 대개 수시간 정도 지속되며, 그 이후로는 부신피질 반응이 도드라지며 손상조직 및 뇌에 필요한 에너지 생산을 위해 기질의 이동이 증가하게 된다. 시상하부-뇌하수체-부신피질 축(H-P-A axis)의 활성화로 인한 cortisol 분비 증가와 catecholamine에 의한 glucagon 분비 증가로 근육 및 지방 조직에서 단백 및 지방 분해가 증가되고, 간에서 당원의 분해 및 포도당신합성이 증가되어 고혈당 상태가 된다. 이때 교감신경계에 의한 췌장 β세포의 억제로 적절한 insulin 분비가 이루어지지 못하며 말초 조직(특히 골격근)에서는 cortisol의 영향으로 인슐린 저항성을 보인다. 이러한 신경내분비적인 반응 외에 손상 부위에서는 면역세포들이 활성화되어 세균 및 사조직(dead tissue)의 제거가 일어나며, 이들이 분비하는 여러 pro-inflammatory cytokines (TNF-α, IL-1, 6)와 다른 염증 매개물들(eicosanoids, free radicals 등)의 작용으로 국소염증 반응 및 전신성 염증 반응이 발생하게 된다. 이러한 물질들은 중추신경계를 자극해 발열을 일으키며 H-P-A axis를 활성화시키고, 간에서 급성기 단백들의 합성을 촉진함은 물론, 기질들의 이동에도 관여한다. 신경내분비계 역시 콜린성 항염증 경로를 통해 대식세포나 림프구 같은 면역세포들의 활성을 조절하여 체내 항상성 유지에 관여한다(그림 3).

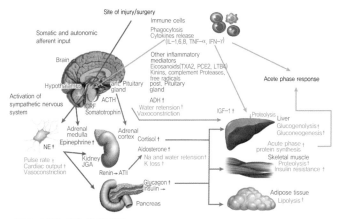

그림 3. 손상에 대한 대사적 반응.
CRF, corticotrophin releasing factor; ACTH, adrenocorticotrophic hormone; GH, growth hormone; ADH, antidiuretic hormone; NE, norepinephrine; AT II, angiotensin II; IGF-1, insulin-like growth factor-1; IL, interleukin; TNF-α, tumor necrosis factor-alpha; IFN-γ, interferon-gamma; TXA2, thromboxane A2; PGE2, prostaglandin E2; LTB4, leukotriene B4; JGA, juxtaglomerular apparatus.

시간이 지남에 따라 스트레스 호르몬(counter-regulatory hormone ; catecholamine, glucocorticoid, glucagon)의 분비가 감소되고 증가된 insulin 및 IGF-1의 작용으로 이화상태(catabolic state)에서 동화상태(anabolic state)로 이행하여 회복 상태에 이르게 된다. 이러한 과정들을 Cuthbertson[15]은 순차적 대사반응의 변화에 따라 "ebb and flow phase"로 기술하였다. 손상 수시간 내의 교감신경계-부신수질 반응기를 "ebb phase"로, 그 후 스트레스 호르몬의 증가로 에너지 소비량 및 체단백질의 이화작용이 증가된 시기를 "flow

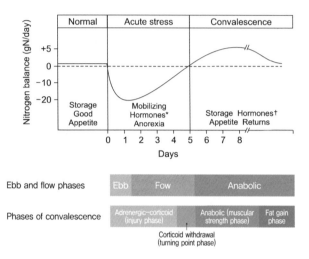

그림 4. 수술 후 환자에 있어서의 손상에 대한 2단계의 호르몬 반응[16] (with Cuthbertson's ebb/flow phases and F.D. Moore's phases of convalescence).
*Catecholamines, corticosteroids, glucagon, growth hormone, injury hormones, leukocytic mediators, † Insulin.

phase"라 하였으며 손상 초기에 소실된 단백질과 지방 등이 다시 채워지는 동화작용기를 "anabolic phase"라 하였다(그림 4). 전신성 염증 반응의 정도나 이화상태의 기간 등 대사적 반응의 정도는 손상의 중증도, 환자의 영양상태 등에 의해 달라지게 된다(표 1, 그림 5).

표 1. 손상에 대한 대사적 반응의 정도와 관련된 요인들[8]

환자 관련 요인	
유전적 소인	염증매개물과 관련한 유전자 아형이 손상 및 감염에 대한 반응과 관련되어 있다는 보고들이 있음.
동반질환	암. 만성염증성질환 등의 동반질환이 대사적 반응에 영향 줄 수 있음.
치료약물	항염증 또는 면역억제치료제(steroids 등)가 대사반응에 영향을 줌.
영양상태	영양불량 환자의 경우 저하된 면역기능 또는 중요기질의 결핍으로 인해 불량한 예후를 보임.
수술/외상 관련 요인	
손상의 정도	조직 손상이 심할수록 대사 반응도 커짐.
손상의 종류	화상의 경우 정도에 비례하는 대사 반응을 일으킴.
재관류 손상	손상 후 소생이 적절치 못했을 경우, 허혈 조직에는 재관류는 염증의 연쇄 반응을 유도해 장기 손상을 일으킬 수 있음.
체온	지나친 저체온 또는 고체온은 대사반응에 해로운 영향을 끼침.
감염	감염은 종종 손상에 대한 과도한 반응과 관련되며, 이는 전신성염증반응을 일으켜 패혈증이나 패혈성 쇼크를 일으킬 수 있음.
마취기법	Opioids 같은 약물이나 국소 마취의 사용은 스트레스 호르몬(cortisol, epinephrine, etc.)의 분비를 감소시킬 수 있음. 하지만 시토카인 반응 등의 영향은 거의 없음.

최근 ESPEN 용어 정의에 따르면 감염, 스트레스 및 손상에 의한 반응을 급성기(acute phase)와 후기(post-acute phase/late phase)로 나누고, 급성기를 다시 초기(early period)와 후기(late period)로 나누어 설명하였다. Early period는 이전의 ebb phase에 해당하며, 손

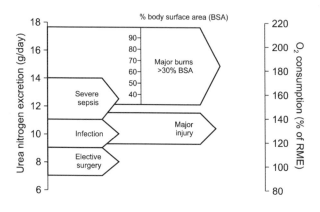

그림 5. 소변 중 질소 배출량에 기반한 손상의 종류에 따른 대사증가율.[17]

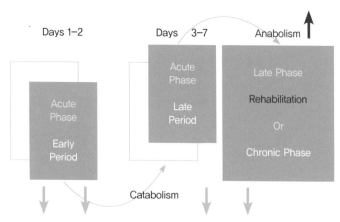

그림 6. 감염/스트레스/손상에 따르는 급성기(acute phase)와 만성기(chronic or late phase).

상 후 1–2일 동안의 대사 불안정성과 심한 catabolism의 증가로 정의된다. Late period (이전의 flow phase)는 손상 후 3–7일 동안의 심각한 근육소모와 대사 이상의 안정화로 특징지어 진다. 마지막으로 Post–acute phase는 초기 손상의 개선 및 재활 또는 지속적인 염증/이화작용 상태로 장기간의 입원으로 이어진다(그림 6).[18]

4 **수술 후 회복의 단계**[19, 20]

회복의 과정은 수술로 인한 손상 자체에 의해 시작되며 항상성을 회복하기 위해 상처의 치유는 물론 정상적인 체내 구성 및 활동성, 생산성을 회복하기 위한 과정으로 3개월에서 1년까지 수술의 중등도 및 환자 상태에 따라 다양한 기간이 소요될 수 있다. 이러한 과정의 이해는 수술 전, 후 처치에 도움을 줄 뿐 아니라 비정상적인 회복과정에 대한 진단 및 치료를 도울 수 있기에 Moore에 의해 제안된 다음의 4단계를 소개하고자 한다(표 2).

표 2. **수술 후 대사 회복의 단계**

Phase I – The adrenergic–corticoid phase (Injury phase)	
개요	Cuthbertson의 ebb 및 flow phase를 포함하는 것으로 1~12시간 정도의 교감신경계–부신수질반응기를 거쳐 3~5일 정도의 과대사상태인 corticoid phase가 이어짐. 손상부위의 면역세포의 활성화로 국소염증반응 및 전신성 염증반응이 발생함.

신경내분비 면역 반응	NE & Epinephrine ↑, ADH & aldosterone ↑, H-P-A axis 활성화(cortisol & glucagon ↑), pro-inflammatory cytokines (TNF-α, IL-1, 6) & other mediators (eicosanoids, free radicals) ↑
임상소견	HR ↑, vasoconstriction relative oliguria (500~750 cc/day), fever (다른 요인이 없다면 3일 내에 소실됨), 식욕감소.
대사상태	고혈당, 음의 질소 균형(negative nitrogen balance), 에너지 공급을 위한 체지방의 산화 및 지속적인 단백 분해로 체중 감소.
지속기간	지속기간 및 대사반응의 정도는 수술의 중증도에 따라 결정됨. 주요 복부수술 후에는 4~5일 정도이며 탈장 수술 등의 간단한 수술에서는 1~2일로 매우 짧게 나타나나, 중증 외상이나 화상, 술 후 합병증이 동반되는 경우에는 수주간 지속되기도 함.
영양지원	대사량 증가되나 신체 활동의 감소로 에너지요구량은 크게 증가하지 않음(20~25 kcal/kg/day). DI 시기에는 외인성 포도당 공급으로 단백분해를 완전히 억제하지 못하며 과도한 포도당 공급은 망상내피계의 기능장애를 일으켜 감염의 위험성을 증가시키므로 주의를 요함.

Phase II – The corticoid withdrawal phase (Turning point phase)

개요	손상부위의 국소염증반응의 호전에 따라 내분비계 반응이 감소되고 counter-regulatory hormone의 분비가 감소되어 나타남.
신경내분비 면역 반응	Counter-regulatory hormone (catecholamine, glucocorticoid, glucagon) ↑
임상소견	Diuresis, 가스배출 및 장의 연동운동 증가, 식욕 회복, 신체 활동성 증가, 상처에서는 섬유원성 증식이 진행되어 6~8일째 봉합사 제거가 가능해짐.
대사상태	단백분해 감소로 소변 중 질소 배출이 빠르게 감소.
지속기간	대개 술 후 3~5일 사이에 시작되어 1~2일 정도로 짧게 지속되나, 국소염증반응의 회복이 더디거나 식이 진행이 되지 않으면 지연될 수 있음.
영양지원	신체 활동의 증가로 에너지 요구량이 증가되는 시기로 적절한 식이섭취가 필수.

Phase III − The spontaneous anabolic phase (muscular strength phase)

개요	증가된 동화호르몬의 작용으로 체재 단백합성이 증가되는 시기이다.
신경내분비 면역 반응	Insulin ↑, IGF−1 (insulin−like growth hormone−1) ↑
임상소견	경구섭취 및 신체적 기능이 거의 회복되며, 상처에는 세포간질(collagen, bone matrix)이 침착되어 정상 강도를 갖게 되어 퇴원이 가능해짐.
대사상태	체내 단백합성이 증가되어 양의 질소균형(positive nitrogen balance), 체내 단백증가에 따른 체중 증가.
지속기간	주요 복부 수술 후 7~10일 경 시작되어 20일 정도 유지되며, 손상의 정도 및 술 전 환자상태, 술후 합병증 등에 따라 8주까지 연장되기도 함.
영양지원	대개 하루 3~5 g 정도의 양의 질소 균형이 필요하며 이를 위해서는 열량 대비 질소비가 1:150 이상으로 유지 가능한 적절한 경구섭취가 필수.

Phase IV − The fat gain phase

개요	성장호르몬 외에 androgen이나 17−ketosteroids 같은 steroid hormone이 관여될 것으로 추정되는 시기로 지방조직의 증가를 특징으로 함.
신경내분비 면역 반응	GH ↑, Steroid hormone (androgen, 17−ketosteroids) ↑
임상소견	수술 전 체중을 회복하며 성기능을 포함한 모든 기능이 정상화 되어 대부분의 업무에 복귀가 가능해짐.
대사상태	제로 수준의 질소균형을 보이며 지방조직의 증가로 체중이 증가함.
지속기간	수주에서 수개월간 계속되며, 주요 복부 수술 후에는 40일 정도이고 경우에 따라 수술 후 1년까지 지속되기도 함.
영양지원	적절한 식이섭취가 유지되어야만 가능하며, 위절제술 등의 수술 후에는 동반되는 여러 소화기 증상들로 인해 지연될 수 있으므로 주의를 요함.

참고문헌

1. Marian M RM, Scott AS. Clinical nutrition for surgical patients: Jones and Bartlett Publishers; 2008.

2. Edington J, Kon P, Martyn C. Prevalence of malnutrition after major surgery. Journal of Human Nutrition and Dietetics. 1997;10(2):111-6.

3. Almeida AI, Correia M, Camilo M, Ravasco P. Nutritional risk screening in surgery: valid, feasible, easy! Clinical nutrition. 2012;31(2):206-11.

4. Velasco C, García E, Rodríguez V, Frías L, Garriga R, Álvarez J, et al. Comparison of four nutritional screening tools to detect nutritional risk in hospitalized patients: a multicentre study. European journal of clinical nutrition. 2011;65(2):269.

5. Schwegler I, Von Holzen A, Gutzwiller JP, Schlumpf R, Mühlebach S, Stanga Z. Nutritional risk is a clinical predictor of postoperative mortality and morbidity in surgery for colorectal cancer. British journal of surgery. 2010;97(1):92-7.

6. Smedley F, Bowling T, James M, Stokes E, Goodger C, O'Connor O, et al. Randomized clinical trial of the effects of preoperative and postoperative oral nutritional supplements on clinical course and cost of care. British Journal of Surgery.

2004;91(8):983-90.

7.   Cahill Jr GF. Fuel metabolism in starvation. Annu Rev Nutr. 2006;26:1-22.

8.   TS W. The metabolic response to injury. In Garden OJ, eds. Principles and practice of surgery. 5th ed ed: Elsevier Health Science; 2007.

9.   Lin E LS. Substrate metabolism in surgery. In: North JA, eds. Surgery: Scientific basis and clinical evidence: Springer-Verlag; 2000.

10.   Hasselgren PO HW, Chaudry IH. Metabolic and inflammatory responses to trauma and infection. In: Fischer JE, eds. Mastery of Sugery, vol 1. 5th ed. Philadelphia: Lippincott Williams & Wklkins; 2007.

11.   Blackburn GL. Metabolic considerations in management of surgical patients. Surgical Clinics. 2011;91(3):467-80.

12.   Burton D, Nicholson G, Hall G. Endocrine and metabolic response to surgery. Continuing Education in Anaesthesia, Critical Care & Pain. 2004;4(5):144-7.

13.   Desborough J. The stress response to trauma and surgery. British journal of anaesthesia. 2000;85(1):109-17.

14.   Wanek S, Wolf SE. Metabolic response to injury and role of anabolic hormones. Current Opinion in Clinical Nutrition &

Metabolic Care. 2007;10(3):272-7.

15. CUTHBERTSON DP. Observations on the disturbance of metabolism produced by injury to the limbs. QJM: An International Journal of Medicine. 1932;1(2):233-46.

16. Blackburn GL H-WK. Nutrition in surgical patients. In: Hardy JD, eds. Hardy's textbook of surgery. Philadelphia: J.B.: Lippincott; 1983.

17. Blackburn GL, Bistrian BR, Maini BS, Schlamm HT, Smith MF. Nutritional and metabolic assessment of the hospitalized patient. Journal of parenteral and enteral nutrition. 1977;1(1):11-21.

18. Singer P, Blaser AR, Berger MM, Alhazzani W, Calder PC, Casaer MP, et al. ESPEN guideline on clinical nutrition in the intensive care unit. Clinical nutrition. 2019;38(1):48-79.

19. Moore FD. Bodily Changes in Surgical Convalescence I—The Normal Sequence—Observations and Interpretation. Annals of surgery. 1953;137(3):289.

20. Hill GL, Douglas RG, Schroeder D. Metabolic basis for the management of patients undergoing major surgery. World journal of surgery. 1993;17(2):146-53.

02

외과 환자 영양 선별 검사 및 영양 평가

외과 환자 영양 선별 검사 및 영양 평가

- 외과 환자의 영양 상태가 환자의 치료 중 합병증 및 사망률과 직접적인 관련이 있음.[1-5]

- 영양 상태의 정확한 평가를 위해 객관적인 선별 검사(nutritional screening)와 영양 평가(nutritional assessment) 과정이 필수적으로 요구됨.

- 영양 선별 검사 방법에는 Nutritional Risk Screening 2002, Malnutrition Screening Tool 등이 대표적이며, 이를 통하여 영양 지원 여부나 추가적인 영양 평가 여부가 결정됨.

- 영양 평가는 영양 지원 여부를 결정하거나 영양 지원 결정 후 환자 상태를 보다 정확히 파악하기 위한 기본 검사로 활용되며, Subjective Global Assessment (SGA), Patient generated SGA (PG-SGA) 그리고 Mini Nutritional Assessment (MNA) 등이 현재 사용되는 대표적인 영양 평가 도구임.

- ASPEN, ESPEN, FELANPE, PENSA 등 국제적 영양 학회의 대표자들이 참여하여 영양실조 진단의 GLIM 진단기준을 통해 전세계 임상 영양 공동체의 통합된 기준 제시함.

1 서론

외상이나 암과 같은 질병으로 외과 수술이 계획되거나 진행되는 과정에서 많게는 약 1/3정도의 환자에게서 영양결핍이 발생함. 영양결핍의 위험에 처해 있는 환자를 우선적으로 선별하고 평가하여 영양치료의 여부를 결정하는 것은 매우 중요함.

영양결핍의 종류에는 콰시오커(Kwashiorkor), 근육감소증(Sarcopenia), 악액질(Cachexia), 단백−에너지 영양결핍(Protein−energy malnutrition), 성장장애(Failure to thrive)가 있음(표 1). 적절한 영양치료를 계획하기 위해서는 정확한 진단이 필요하며, 영양결핍의 증상은 종류별로 중첩되어 나타날 수 있음.

표 1. 영양결핍의 종류와 특징

영양결핍	특징
콰시오커(Kwashiorkor)	염증반응에 의한 체세포량 감소, 세포외액 증가
근육감소증(Sarcopenia)	연령에 따른 근육량 감소
악액질(Cachexia)	염증반응에 의한 체세포량 감소, 내장 단백질 감소, 세포외액 증가
단백−에너지 영양결핍 (Protein−energy malnutrition)	단백질과 에너지의 섭취 감소 내장 단백질 감소
성장장애(Failure to thrive)	체중 및 키 감소(소아) 정서장애를 동반한 인지기능 장애(성인)

2 영양 선별 검사(Nutritional screening)

1) 영양 선별 검사의 목적 및 대상(Subjects for nutritional screening)

(1) 선별 검사의 목적

① 외과 의사가 진찰하는 환자들의 불량한 영양 상태를 확인하여 즉시 영양 지원이 필요한 환자를 가려내기 위함.

② 외과 의사가 진찰하는 환자들 중 영양 평가(nutritional assessment)가 필요한 환자들을 가려내기 위함.

(2) 선별 대상: 외과 의사가 진찰하는 모든 환자

1) 영양 선별 검사의 방법

(1) 선별 검사 평가자 및 평가 시기

① 환자를 처음 진료하는 외과 의사 혹은 의사의 지시를 받은 간호사나 영양사에 의해서 초기 평가가 이루어져야 함.

② 초기 진료 후 24시간 이내에 이루어져야 함.

(2) 선별 검사 도구들

① Malnutrition Universal Screening Tool (MUST)[6]

i. 5단계 선별검사로 되어 있으며, 영양상태, 체성분 비율, 신체적 기능과 관련된 정보들을 바탕으로 함.

ii. ESPEN 가이드라인에서 초기 영양평구 도구 중 하나

(1) 체질량지수	(2) 3~6개월간 체중 감소	(3) 급성 질환 효과
0≥20.0 1=18.6~20.0 2<18.6	0≤6% 1=6~10% 2≤10%	6일 이상 금식이 지속되었거나 예상되는 경우 2점 가산
영양 결핍 위험도		
0 낮음 일반적인 임상 관리	**1** 보통 주의 관찰 대상	**2** 높음 적극적 치료 대상
선별검사 재시행 입원환자: 매주 재택환자: 매달 일반환자: 76세 이상일 경우 매년 시행	입원환자: 3일간 식사 및 수분 섭취 기록 재택환자: 입원환자 동일 일반환자: 선별검사 재시행	입원환자: 식이 우선 시도, 식품강화, 보조식품 재택환자: 입원환자 동일 일반환자: 입원환자 동일

그림 1. Malnutrition Universal Screening Tool

로 제시하고 있으나, 일부 연구에서는 암환자에서 낮
은 민감도 및 특이도를 보이는 것으로 보고됨

② Nutritional risk screening 2002(NRS 2002, 표 2)[7]

　　i. 영양 공급의 효용성과 관련된 128개의 전향적 연구들
에서 사용된 환자 기본 검사 도구들을 분석하여 만들
어낸 영양 상태 선별 검사 방법이며, ESPEN에서는 원
내 입원 환자의 영양 선별 검사 방법으로 이를 제시하
고 있음.

　　ii. 체중감소, 체질량 지수 및 음식 섭취량의 3가지 평가
항목에 환자의 나이, 기저질환의 중증도를 고려하여,
영양불량 위험군(≥3), 정상(<3)으로 분류

표 2. **Nutritional risk screening 2002**(NRS 2002)

	초기평가
1	환자의 체질량지수가 20.5 미만입니까? ☐ 예 ☐ 아니오
2	환자는 지난 3개월간 체중 감소가 있었습니까? ☐ 예 ☐ 아니오
3	지난주 환자의 식사량이 줄었습니까? ☐ 예 ☐ 아니오
4	현재 심각하게 아픈 상태입니까? ☐ 예 ☐ 아니오

*상기 질문 대답 중 하나라도 '예'가 있으면 최종선별 검사 시행

최종선별			
영양 결핍 상태		질환의 중증도	
없음	정상영양상태	없음	정상 영양 요구량
경도 1	3개월간 5% 이상 체중감소 또는 정상요구량의 50~75% 음식 섭취	경도 1	고관절부 골절, 만성질환자(간경화, 만성폐쇄성폐질환 등) 장기간 투석, 당뇨, 암환자
중증도 2	2개월간 5% 이상 체중감소 또는 체질량지수 18.5~20.5이면서 정상요구량의 25~60% 음식 섭취	중증도 2	큰 수술을 받은 경우, 뇌졸중, 중증 폐렴, 혈액 악성 종양
고도 3	1개월간 5% 이상 체중감소 또는 체질량지수 18.5 미만이면서 정상요구량의 0~25% 음식 섭취	고도 3	머리손상, 골수 이식, 집중치료 환자
Score + Score = Total score			

*Age 70세 이상일 경우 total score에 1점 추가 = age-adjusted total score

(3) 선별 검사 조사 항목

선별 검사에 사용되는 도구를 이용하기 위해 다음과 같은 항목들을 조사함.

① 과거력 조사

　i. 몸무게: 평소 몸무게 및 최근 1개월, 6개월의 몸무게 변화와 이상 체중과의 차이를 통해 영양 상태를 파악할 수 있으며, 다음과 같은 경우 영양 불량을 예측할 수 있음.

　　a. 최근 1개월 내에 5% 이상의 체중 감소가 있었던 경우.

　　b. 최근 6개월 내에 10% 이상의 체중 감소가 있었던 경우.

　　c. 이상 체중(ideal body weight)의 20% 이하의 체중을 나타내는 경우.

　ii. 내과 및 외과적 병력: 각종 내과적, 외과적 병력이 환자의 영향 상태에 영향을 주고 영양 필요량을 증가시킬 수 있으므로, 감염 및 패혈증 상태, 심혈관계 및 내분비 질환 등의 내과적 병력과 심각한 화상, 주요 수술, 외상 및 두부 손상 등 외과적 병력에 대한 파악이 필요함.

　iii. 호소 증상: 영양 결핍과 관련하여 환자가 호소하는 증상에 대한 파악이 필요함.

iv. 경구 섭취 장애 정도: 음식을 씹거나 삼키는데 문제가 있는지에 대한 파악이 필요하며, 구토, 복통, 복부 팽만 등 소화기 질환과 관련된 증상이 있는지 파악이 필요함.

v. 투약력: 과거 질환 및 증상으로 인하여 투약한 과거력이 있는지와 영양 섭취에 영향을 줄 수 있는 투약력이 있는지 파악이 필요함.

vi. 최근 영양 섭취 정도: 최근의 경구 섭취 감소 정도와 이를 해결하기 위한 영양 지원의 과거력, 과체중의 경우 체중 감소를 위해 스스로 경구 음식 섭취 감소시킨 경험 등을 파악하고, 최근 섭취한 식사의 종류를 파악하여 비타민, 미네랄 등의 섭취 부족이 없었는지 확인함. 후향적인 회상과 일정기간 동안의 전향적 기록 등이 영양 섭취 정도 파악의 방법이 될 수 있음.

vii. 영양 결핍 정도의 예측: 환자의 위장관 질환과 기능에 의하여 앞으로 영양 결핍 정도를 예측할 수 있으며, 7일 이상 경구 섭취가 불가능 경우 영양 결핍을 예측하여 영양 보충을 결정할 수 있음.

② 신체 조사

i. 체질량 지수(body mass index, BMI) = 몸무게(kg)/키(m)^2

ii. 근력 감소: 신체 근육 감소에 따른 핸드 그립 정도나 다리 신전 정도가 영양 결핍 상태와 관련이 있을 수 있으로 이에 대한 파악이 필요함.

iii. 기타 영양 결핍 상태를 나타내는 신체 조사 결과: 전신 부종, 피부 표피 탈락, 탈모, 사지 근육량 감소 등이 영양 결핍 상태를 시사하므로 신체 검진을 통해 이를 시행함.

3 영양 평가

1) 영양 평가의 목적 및 대상

(1) 영양 평가의 목적

① 영양 평가는 환자들에 대한 식사력, 임상적 사회적 상황 등을 통하여 영양학적 위험성을 파악하고, 신체 검진과 체성분 분석, 검사실 소견을 확인하여 불충분한 영양 상태의 정도를 확인함.[8,9]

(2) 영양 평가의 대상(subjects for nutritional assessment)

① 영양 선별 검사(nutritional screening)를 통해 영양 지원이 결정된 환자를 대상으로 영양 상태를 정확히 파악하여 영양 지원의 기초 자료로 활용함.

② 영양 선별 검사를 통해 추가적인 영양 평가가 결정된 환자를 대상으로 영양 지원 여부를 결정하고 지원 전 영양 상태를 파악함.

2) 영양 평가 방법

(1) 영양 평가 평가자 및 평가 시기

① 영양 평가 평가자: 영양 평가는 임상 영양 지원팀 소속의 의사나 의사의 지시를 받은 영양사, 약사, 간호사에 의해서 이루어져야 함.

② 영양 평가 시기: 영양 선별 검사가 끝난 직후 시행되어야 함.

(2) 영양 평가 도구

① Subjective global assessment (SGA, 표 3)[10]

i. 배경: 주로 위장관 수술을 받게 될 환자들을 대상으로 영양 불량 환자를 가려내거나 수술 후 영양 불량에 빠질 가능성이 높은 환자를 예측하기 위해 개발된 도구임.

ii. 평가 항목: 모두 8개 항목으로 식사 관련 과거력 및 체중 변화, 현재 활동 정도 및 발열, 신체 계측 사항.

iii. 임상결과

a. SGA는 소화기 질환을 갖고 있는 262명의 환자를 대상으로 한 환자 대조군 임상 연구에서 환자들에서 입원 기간을 예측할 수 있는 영양 평가 도구로 인정되었음.[11]

b. 438명의 외과 수술 후 환자를 대상으로 한 환자 대조군 연구에서도 Grade C로 판정된 경우 감염 관련 합병증이 증가하는 것으로 평가되었음.[12]

표 3. Subjective Global Assessment

분류	평가내용
A. 개인력	1. 체중변화 : 최근 6개월간 체중 감소 정도 　　　　　　최근 2주간 체중변화(증가/변화없음/감소) 2. 음식섭취량 : 변화없음/섭취량 감소 　　　　　　변화기간 　　　　　　현재 주식의 형태(밥/죽/미음/금식) 3. 위장관 증상(2주 이상 지속): 이상없음/이상있음 　　　　　　　　변화기간 　　　　　　　　이상정도(이상생활가능/보행가능/ 　　　　　　　　거동불가)
B. 신체검진	피하지방의 감소(어깨, 삼두근, 가슴, 손) 근육의 소모(어깨 삼각근) 발목 부종 복수
C. SGA 등급	A = 영양상태 양호, B = 경증 영양불량, C = 중증 영양불량

* 선별을 시행하는데 있어서 전문가가 시행하는 것이 신뢰도를 나타낼 수 있으며, SGA는 수술 후 합병증의 예측 도구로 유용하여 영양상태의 측정에 가장 많이 사용되는 도구임.

② Patient generated SGA (PG-SGA, 표 4)

　i. 배경: SGA를 근거로 하여 암 환자에게 보다 특이적인 영양 평가 도구로서 1994년 Ottery 등에 의해서 개발 되었음.[13]

　ii. 평가 항목: SGA와 비교할 때, 영양학적 증상과 가장 최근의 몸무게의 변화를 조사하도록 되어 있으며, 영양학적 증상의 경우 환자에 의해 직접 작성되도록 하고 있음. 이를 개량한 scored PG-SGA의 경우 각 항목마다 0~4 점수를 부여한 후 총점이 9점 이상인 경우 영양 지원이 필요한 것으로 판단하고 있음.

iii. 임상결과

a. PG−SGA를 이용해서 위장관 수술 후 합병증 예측성을 확인하고자 다기관에서 275명의 환자를 등록시켜 시행한 전향적 임상연구에서 PG−SGA는 주요 합병증의 발생과 관련이 있었음.[14]

표 4. Patient generated−subjective Global Assessment

1개월간 체중감소	점수	6개월간 체중 감소율
10% 이상	4	20% 이상
5~9.9%	3	10~19.9%
3~4.9%	2	6~9.9%
2~2.9%	1	2~5.9%
0~1.9%	0	0~1.9%

* 1개월간 체중 감소율을 우선 적용하여 점수를 계산하고, 해당 체중 감소율이 2주 이내 급격히 발생했다면 추가로 1점을 더한다.

질환별 유무	점수
악성종양	1
후천성면역결핍증	1
폐 또는 심질환으로 인한 악액질	1
욕창, 개방창, 누공	1
외상환자	1
65세 이상	1
만성 신부전	1

* 여러 항목에 해당하는 경우 점수를 합산한다.

대사스트레스	없음(0)	경도(1)	중증도(2)	고도(3)
발열	없음	99~100 (37.2~37.8C)	101~102 (38.3~38.9C)	102초과 (>38.9C)
발열기간	없음	72시간 이내	72시간	72시간 초과
코티코스테로이드	미사용	저용량 (<10mg)	중간용량 (10~30mg)	고용량 (>30mg)

* 각 항목에 대한 해당점수를 합산한다.

신체검진소견	소실정도	신체검진소견	소실정도
Muscle score		Fat score	
측두근	0 1 + 2 + 3 +	안와지방	0 1 + 2 + 3 +
쇄골부 (가슴근 및 삼각근)	0 1 + 2 + 3 +	삼두근 피하지방 두께	0 1 + 2 + 3 +
어깨부(삼각근)	0 1 + 2 + 3 +	하부 늑골부 지방	0 1 + 2 + 3 +
골간 근육	0 1 + 2 + 3 +		
견갑골(광배근)	0 1 + 2 + 3 +		
대퇴부(대퇴사두근)	0 1 + 2 + 3 +		
종아리(비복근)	0 1 + 2 + 3 +		
전반적인 근육 소실정도	0 1 + 2 + 3 +	전반적인 지방 소실 정도	0 1 + 2 + 3 +
Fluid score			
발목부종	0 1 + 2 + 3 +		
꼬리뼈 부종	0 1 + 2 + 3 +		
복수	0 1 + 2 + 3 +		
전반적인 수분 초과 정도	0 1 + 2 + 3 +		

0=정상, 1+=경도 소실, 2+=중등도 소실, 3+=고도 소실(Fluid score의 경우 초과 상태를 의미)

③ Mini nutritional assessment (MNA, 표 5)[15]

   i. 배경: ESPEN에서 고령 환자의 영양상태 파악을 목적으로 제시한 영양 평가 도구이자만, 영양학적으로 불량한 영양상태의 적절한 영양 지원과 예후 향상을 위해 널리 사용되고 있음.

   ii. 특히 고령 환자에서 영양상태를 평가하기 위해 개발된 6개의 선별항목과 12개의 평가항목으로 구성

   iii. 최근에는 6가지 항목만 가진 간편한 MNA가 선별도구로서 사용되고 있으며, 24점 이상은 정상 영양상태, 17점에서 23.5점까지는 영양결핍의 위험, 17점 미만은 단백질에너지결핍증으로 나타냄.

표 5. Mini Nutritional Assessment

선별항목	
A. 음식섭취 변화 여부	0 = 심각한 식욕 부진, 1 = 경도의 식욕 부진, 2 = 식욕 부진 없음
B. 최근 1개월간 체중 변화	0 = 3 kg 이상 체중 감소, 1 = 변화여부 모름, 2 = 1~3 kg 체중 감소, 3 = 체중 감소 없음
C. 활동 능력	0 = 침대생활, 1 = 실내활동 가능, 2 = 실외활동 가능
D. 최근 3개월간 신체적 질환	0 = 있음, 1 = 없음
E. 신경정신학적 문제	0 = 중증 치매 및 우울증, 1 = 경증 치매, 2 = 문제 없음
F. 체질량지수	0 = 19 미만, 2 = 21~23, 3 = 23 이상

평가항목	
G. 독립적인 생활	0 = 불가능, 1 = 가능
H. 3가지 이상 약물 복용	0 = 예, 1 = 아니오
I. 욕창	0 = 있음, 1 = 없음
J. 하루 동안 충분한 식사 횟수	0 = 1번, 1 = 2번, 2 = 3번
K. 단백질 섭취	매일 유제품 최소 1회 이상 섭취, 1주간 콩이나 달걀을 2회 이상 섭취, 매일 고기, 생선 또는 가금류 섭취 (0 = 0 or 1가지/0.5 = 5가지/1.0 = 3가지)
L. 매일 2회 이상 과일 또는 야채 섭취	0 = 아니오, 1 = 예
M. 수분섭취량	0 = 3컵 이하, 0.5 = 3~5컵, 1.0 = 5컵 이상
N. 자가식사여부	0 = 보조 없이 가능, 1 = 약간의 어려움, 2 = 어려움 없음
O. 자신의 영양상태 평가	0 = 영양불량, 1 = 잘모름, 2 = 양호
P. 다른 동년배와 건강상태 비교	0 = 좋지않음, 0.5 = 잘모름, 1.0 = 비슷함, 2.0 = 보다 좋음
Q. 상완위 둘레	0 = 21 cm 미만, 0.5 = 21~22 cm, 1.0 = 22 cm 이상
R. 정강이 둘레	0 = 31 cm 미만, 1 = 31 cm 이상

4 외과 환자 영양 선별 검사 및 영양 평가 방법의 실제

〈2015 ESPEN guideline〉

(1) 일반적인 환자

- 체질량지수, 체중감소 정도, 급성 질환 여부에 따른 점수를 통해 영양 상태를 평가하는 malnutrition universal screening tool (MUST)라는 검사 도구를 통하여 영양 지원 여부나 재평가 여부를 결정함(그림 1).

(2) 병원 입원 환자나 고령 환자

• 병원에 내원해 있는 환자의 경우 NRS 2002를 이용하고,

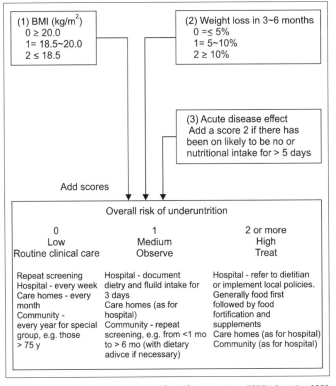

(1) BMI (kg/m^2)
0 ≥ 20.0
1= 18.5~20.0
2 ≤ 18.5

(2) Weight loss in 3~6 months
0 =≤ 5%
1= 5~10%
2 ≥ 10%

(3) Acute disease effect
Add a score 2 if there has
been on likely to be no or
nutritional intake for > 5 days

Add scores

Overall risk of underuntrition

0	1	2 or more
Low	Medium	High
Routine clinical care	Observe	Treat
Repeat screening Hospital - every week Care homes - every month Community - every year for special group, e.g. those > 75 y	Hospital - document dietry and fluild intake for 3 days Care homes (as for hospital) Community - repeat screening, e.g. from <1 mo to > 6 mo (with dietary adivce if necessary)	Hospital - refer to dietitian or implement local policies. Generally food first followed by food fortification and supplements Care homes (as for hospital) Community (as for hospital)

그림 1. Malnutrition universal screening tool (MUST) reprinted from ESPEN Guideline 2002.

고령 환자의 경우 MNA를 이용하여 선별검사를 시행하도록 추천하고 있음.

〈2015 ESPEN Consensus statement〉[16]

- 영양실조의 진단을 위한 최소한의 진단기준 조합을 컨센서스 모임을 통해 합의함.
- 2가지의 진단기준 선택사항(option)

① BMI < 18.5 kg/m^2

② 체중감소 (정해지지 않은 기간동안 의도하지 않는 체중감소 > 10% or 최근 3개월 동안 체중감소 > 5%)가 있으면서, 낮은 BMI (<20 kg/m^2 (70세 미만) or < 22 kg/m^2 (70세 이상) 또는 낮은 제지방체중지수(fat free mass index, FFMI) (여자 < 15 kg/m^2, 남자 < 17 kg/m^2)

〈2012 Academy/ASPEN Consensus Statement〉[17]

- 급성 만성 질환과 염증 손상 정도에 따른 Etiologic—based 영양실조의 정의 제시(그림 2)
- 영양실조 진단의 6가지 임상 특징(2가지 이상이면 영양실조 확인)

① 불충분한 에너지 섭취

② 체중감소

③ 근육량 소실

④ 피하지방 소실

⑤ 체중감소를 감추는 국소적/전신적 수분축적

⑥ 핸드그립 강도 측정을 통한 근기능 감소

〈GLIM Criteria for the Diagnosis of Malnutrition〉[19]

- The Global Leadership Initiative on Malnutrition (GLIM)
- ASPEN, ESPEN, FELANPE, PENSA 등 국제적 영양 학회의 대표자들이 참여
- 복잡하고 산재되어 있는 여러 영양실조 진단에 대한 글로벌 기준 제시

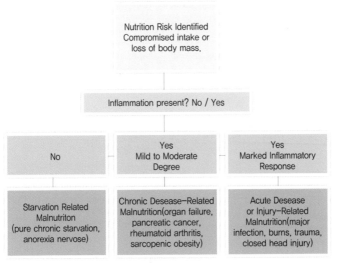

그림 2. 병인에 기반한 영양실조의 정의[18]

- 영양실조 진단의 2단계적 접근(screening tool을 이용한 위험 군 확인 → 영양실조의 진단과 심각도 평가)
- 3 phenotypic criteria (non-volitional weight loss, low BMI, and reduced muscle mass) and 2 etiologic criteria (reduced food intake or assimilation, and inflammation or disease burden) (표 6)

표 6. 영양실조 진단의 표현(phenotypic) 및 병인(etiologic) 기준

Phenotypic Criteria[a]			Etiologic Criteria[a]	
Weight Loss(%)	Low Body Mass Index(kg/m^2)	Reduced Muscle Mass[b]	Reduced Food Intake or Assimilation[c, d]	Inflammation[e, f, g]
>5% within past 6 months, or >10% beyond 6 months	<20 if <70 years, or <22 if >70 years Asia: <18.5 if <70 years, or <20 if >70 years	Reduced by validated body composition measuring techniques[b]	≤50% of ER>1 week, or any reduction for>2 weeks, or any chronic GI condition that adversely impacts food assimilation or absorption[c, d]	Acute disease/injury[e, g] or chronic disease—related[f, g]

참고문헌

1. Engelman DT, Adams DH, Byrne JG, Aranki SF, Collins Jr JJ, Couper GS, et al. Impact of body mass index and albumin on morbidity and mortality after cardiac surgery. The Journal of thoracic and cardiovascular surgery. 1999;118(5):866-73.

2. Velanovich V. The value of routine preoperative laboratory testing in predicting postoperative complications: a multivariate analysis. Surgery. 1991;109(3 Pt 1):236-43.

3. Dannhauser A, Van Zyl J, Nel C. Preoperative nutritional status and prognostic nutritional index in patients with benign disease undergoing abdominal operations–Part I. Journal of the American College of Nutrition. 1995;14(1):80-90.

4. Malone DL, Genuit T, Tracy JK, Gannon C, Napolitano LM. Surgical site infections: reanalysis of risk factors. Journal of Surgical Research. 2002;103(1):89-95.

5. Rey-Ferro M, Castaño R, Orozco O, Serna A, Moreno A. Nutritional and immunologic evaluation of patients with gastric cancer before and after surgery. Nutrition. 1997;13(10):878-81.

6. Stratton RJ, Hackston A, Longmore D, Dixon R, Price S, Stroud M, et al. Malnutrition in hospital outpatients and

inpatients: prevalence, concurrent validity and ease of use of the 'malnutrition universal screening tool'('MUST') for adults. British Journal of Nutrition. 2004;92(5):799-808.

7.   Kondrup J, Rasmussen HH, Hamberg O, STANGA Z, Group AahEW. Nutritional risk screening (NRS 2002): a new method based on an analysis of controlled clinical trials. Clinical nutrition. 2003;22(3):321-36.

8.   Kruizenga HM, Van Tulder MW, Seidell JC, Thijs A, Ader HJ, Van Bokhorst-de van der Schueren MA. Effectiveness and cost-effectiveness of early screening and treatment of malnourished patients. The American journal of clinical nutrition. 2005;82(5):1082-9.

9.   K H. Dietary and clinical assessment. In: Mahan K, Escott-Stump S, eds. Krause's Food, Nutrition, and Diet Therapy. 11th ed. Philadelphia, PA: Saunders; 2004.

10.   Detsky AS, Baker J, Johnston N, Whittaker S, Mendelson R, Jeejeebhoy K. What is subjective global assessment of nutritional status? Journal of parenteral and enteral nutrition. 1987;11(1):8-13.

11.   Wakahara T, Shiraki M, Murase K, Fukushima H, Matsuura K, Fukao A, et al. Nutritional screening with Subjective Global Assessment predicts hospital stay in patients with digestive

diseases. Nutrition. 2007;23(9):634-9.

12. Pham NV, Cox-Reijven P, Greve J, Soeters P. Application of subjective global assessment as a screening tool for malnutrition in surgical patients in Vietnam. Clinical nutrition. 2006;25(1):102-8.

13. Ottery FD, editor Rethinking nutritional support of the cancer patient: the new field of nutritional oncology. Seminars in Oncology; 1994.

14. Antoun S, Rey A, Béal J, Montange F, Pressoir M, Vasson M-P, et al. Nutritional risk factors in planned oncologic surgery: what clinical and biological parameters should be routinely used? World journal of surgery. 2009;33(8):1633-40.

15. Guigoz Y. The Mini Nutritional Assessment (MNA®) Review of the literature-What does it tell us? Journal of Nutrition Health and Aging. 2006;10(6):466.

16. Cederholm T, Bosaeus I, Barazzoni R, Bauer J, Van Gossum A, Klek S, et al. Diagnostic criteria for malnutrition–an ESPEN consensus statement. Clinical nutrition. 2015;34(3):335-40.

17. White JV, Guenter P, Jensen G, Malone A, Schofield M, Group AMW, et al. Consensus statement: Academy of Nutrition and Dietetics and American Society for Parenteral and Enteral Nutrition: characteristics recommended for the

identification and documentation of adult malnutrition (undernutrition). Journal of Parenteral and Enteral Nutrition. 2012;36(3):275-83.

18. Jensen GL, Bistrian B, Roubenoff R, Heimburger DC. Malnutrition syndromes: a conundrum vs continuum. Journal of Parenteral and Enteral Nutrition. 2009;33(6):710-6.

19. Cederholm T, Jensen G, Correia MIT, Gonzalez MC, Fukushima R, Higashiguchi T, et al. GLIM criteria for the diagnosis of malnutrition–A consensus report from the global clinical nutrition community. Journal of cachexia, sarcopenia and muscle. 2019;10(1):207-17.

03

영양지원의 실제 (1)
영양 필요량 산출 및
영양공급경로의 결정

영양지원의 실제 (1)
영양 필요량 산출 및 영양공급경로의 결정

- 열량 – 25 kcal/kg/day를 기준으로 스트레스에 따라 가감

- 단백질 – 통상 수술 1 g/kg/day, 심한 스트레스 시 1.5–2.0 g/kg/day 투석하지 않는 급성 신부전, 간성 뇌증이 있는 간경화에서 0.6–0.8 g/kg/day

- 포도당 – 주입속도가 최대 4–5 mg/kg/min (7 g/kg/day)을 넘지 않도록

- 지방 – 경장영양: 총 칼로리의 15–50%, 대사적 스트레스 시: 총 열량의 25–30%

  – 정맥영양: 투여 속도 <2.5 g/kg/d (0.11g/kg/h), 중증 환자에서는 ≤1.0 g/kg/d (총열량의 약 30%에 해당)

- 수분 : 20~40 ml/kg/day 또는 1~1.5 ml/kcal → 개인별 섭취량과 배출량, 불감수분손실(insensible loss) 등을 고려하여 조정

- 비타민, 미네랄 : 요구량에 따라 공급하고 모니터링

- 영양지원방법: 장관이 기능을 할 경우 우선적으로 경장영양공급을 고려. 섭취량이 부족하거나 불가능한 경우 정맥영양

1 **열량**

1) 적절한 영양지원의 필요와 목표

(1) 영양지원의 필요량은 신체조성이나 기능, 생리적 상태와 병으로 인한 상태 등을 고려하여 개별적으로 결정되어야 함[1]

- 열량의 부족하거나 과한 공급의 결과
  - 부족한 공급: 호흡근과 호흡에 필요한 힘의 감소, 인공호흡기 의존도 증가, 기관 기능의 장애, 면역저하, 상처치유 지연, 병원 감염 위험의 증가, 감염이나 염증이 없는 상태에서 수송단백질의 감소 등
  - 과한 공급: 고혈당, 고질소혈증, 고중성지질혈증, 전해질불균형, 면역저하, 수분 균형의 변화, 간 지방증(steatosis), 인공호흡기 의존도 증가

(2) 영양지원의 목표는 단기 목표와 장기 목표를 각각 설정해야 함[1]

2) 열량(Energy) 요구량의 산출

하루에 필요한 총열량요구량(Total energy expenditure)을 구성하는 여러 요소들: 기초대사량, 음식소화를 위해 필요한 에너지(thermogenic effect of digestion), 배설물로의 에너지손실, 성장에 필요한 에너지, 활동량, 질병/스트레스 등

(1) 단위체중당 열량(kcal/kg)을 통한 계산(경험 법칙, rule-of-thumb)

계산이 쉽고 그 결과가 임상적으로 받아들여질 수 있는 정도이기 때문에 널리 사용

보통 25 kcal/kg를 기본적인 열량으로 하며, 환자의 임상적 특성에 따라 조정[2]

- 25-30 kcal/kg/d: 의미있는 대사성 스트레스가 없는 환자
- 35-40 kcal/kg/d: 중증 스트레스 환자, 또는 의미있는 대사성 스트레스가 없지만 체중 증가가 필요한 환자
- >40 kcal/kg/d: 중증 화상 환자

(2) 기초대사율을 이용한 산정 : 기초대사율(①) 계산 → 총열량요구량(②) 계산

참고

- **기초대사율**(Basal metabolic rate (BMR), Basal Energy Expenditure (BEE)) : 12시간 금식하고 중성적 온도(thermoneutral) 환경에 깨어 있는 상태에서 세포, 기관, 계통 수준에서 정상 작용을 하게 하고 체온, 심박수와 호흡수의 항상성이 유지되게 하는데 필요한 에너지 필요량
- **휴식시대사율**(Resting metabolic rate (RMR), Resting Energy Expenditure (REE)): 5시간 정도의 금식 시간. 가벼운 활동(옷입기, 걷기 등)을 했으면 10-20분 가량 휴식한 후 측정하는 에너지 필요량. 기초대사율에 비해 약 10% 높지만 큰 차이가 없고 측정이 비교적 용이하여 기초대사율로 혼용하여 사용

① 정상 상태의 기초대사율 계산 : 여러 요소로 인해 산출이 어려운 환자 대신 정상인의 열량 요구량을 이용하여 추정. 기초대사율 산정 후 총열량요구량 계산 필요

i. Harris─Benedict Equation : 가장 많이 사용되는 공식. 100년 전에 만들어져 현대인의 열량필요량과는 상이할 가능성

남성: 66.42+13.7×체중(kg)+5×신장(cm) − 6.78×연령(세)

여성: 655.1+9.65×체중(kg)+1.85×신장(cm) − 4.68×연령(세)

− 체중: 대부분 실제체중(actual body weight) 사용. 비만도가 높은 환자에서는 과한 영양공급을 피하기 위해 조정된 체중(adjusted body weight)을 사용

조정된 체중: [(체중 − 이상체중) × 0.25 +(이상체중)]

* 이상체중 = 키$(m)^2$ × 표준 BMI (남:22~23, 여:21~22)

ii. Mifflin─St.Jeor Equation − 비만 환자에서 보다 좋은 정확성을 보여 미국 영양협회에서 추천[3,4]

남자: Energy expenditure= 10(weight in kg) + 6.25(height in cm) − 5(age) + 5

여자: Energy expenditure= 10(weight in kg) + 6.25(height in cm) − 5(age) − 161

② 기초대사율을 이용한 총열량요구량(TEE)의 산정

- 1일총열량요구량(TEE) =기초대사량(BEE)×활동지수(activity factor, AF)×부상지수 혹은 스트레스 지수(injury factor: IF, stress factor: SF)
  - 활동지수 : 병상에 누워 있는 상태 1.2, 보행 가능 상태 1.3
  - 스트레스 지수 : 수술(소수술 1.2, 주요 수술 1.3), 골격외상 1.35, 두부외상 1.6, 감염(경증 1.1, 중등도 1.5, 중증 1.8), 화상(총표면적의 40% 1.2, 100% 1.95)[5]

(3) 열량계(calorimeter)를 이용한 기초대사율 측정

① 직접 열량계(direct calorimeter) : 폐쇄된 시스템에서 개체에게서 나오는 열을 측정하는 방법으로 임상에서는 사용되지 않음.

② 간접 열량계(indirect calorimeter, IC) : 인공호흡기나 패혈증 환자의 경우 주 1회 이상 측정이 필요함. IC 측정이 불가능한 경우는 기존 공식을 사용하나 질소평형을 계산 해야함.

i. 적응증[6,7]

a. 기초대사량 계산이 어려운 상황들: 급성/만성 호흡부전증후군, 큰 개방상처나 화상, 체성분비율의 변화가

동반된 영양실조(저체중, 비만, 상하지절단, 말초부종, 복수), 다발성/신경학적 외상, 다기관부전, 장기이식, 패혈증, 전신염증반응증후군, 근이완제나 barbiturate의 사용 등

b. 계산된 영양공급에도 영양부족의 현상 (상처치유지연, 인공호흡기의존)이 지속,

c. 중증 질환에서 대사적 호흡적 합병증을 줄이기 위해 정확한 계산이 필요시

ii. 휴식 시 열량 요구량(REE) = (3.94 × 전신 산소 교환량) + (1.11 × 전신 이산화탄소 교환량)

- 간헐적 영양공급을 하는 환자에서 금식 시 측정한 경우: thermogenesis에 해당하는 5%정도의 열량 추가 가능
- 지속적 열량 공급을 하는 환자: 이미 함께 측정되었으므로 추가할 필요 없음
- 중환자실 환자에서 측정된 휴식 시 열량요구량에 5–10%의 활동지수를 곱하는 것이 전통적이었으나, 최근에는 측정된 휴식 시 열량요구량만을 활동지수 없이 100%로 쓰는 것을 권고하고 있음[8-10]

표1. 필수영양소의 종류

에너지 영양소			조절 영양소				
탄수화물	단백질 (아미노산)	지방 (지질)	비타민		무기질		물
			수용성 비타민	지용성 비타민	다량 무기질	미량 무기질	
포도당 (포도당으로 전환되는 탄수화물)	히스티딘, 이소루신, 루신, 메티오닌, 리신, 페닐알라닌, 트레오닌, 트립토판, 발린	리놀레산, 리놀렌산	티아민, 리보플라빈, 나이아신, 판토텐산, 비오틴, 비타민 B_6, 비타민 B_{12}, 엽산, 비타민 C	A, D, E, K	칼슘, 염소, 마그네슘, 인, 포타슘, 소디움, 황	크롬, 구리, 불소, 요오드, 철, 망간, 몰리브덴, 셀레늄, 아연	물

2 단백질

- 4 kcal/g
- 단백질은 신체조직을 구성하고 효소, 호르몬, 항체로 작용하며 체내 대사와 항상성 유지에 중요한 기능
- 수술 후나 스트레스 상황의 중환자의 경우에는 단백질의 요구량이 증가하지만, 초기에는 단백질을 공급해도 양의 질소 평형으로 이어지지 않고 오히려 과도한 단백질 공급이 신손상을 일으킬 수도 있음
- 과한 단백질 공급은 간경변이 있는 환자에서는 간성혼수를,

신부전 환자에서는 요독증을 야기할 수 있어 주의가 요구

- 단백질 투여와 병행해서 적절한 열량을 투여하는 것이 단백질이 포도당신합성의 재료로 사용되거나 에너지 공급원으로 소모되지 않도록 하여 질소평형을 개선하는데 중요

(1) 단위체중당 단백질 필요량(g/kg)

- 건강한 성인을 위한 단백질 권장섭취량은 하루 약 0.8 g/kg
- 발열, 패혈증, 수술, 외상 및 화상 등 스트레스 상황에서 단백질 이화율이 증가하므로 질소평형을 위해 더 많은 양의 아미노산과 단백질이 필요
- 단백질 중 약 25-30%를 필수아미노산으로 공급하는 것을 추천.

- 환자의 스트레스 정도에 따른 단위체중당 단백질 필요량
  - 정상 : 0.8~1.0 g/kg
  - 경도에서 중등도의 스트레스(감염, 골절, 수술) : 1.0~1.5 g/kg
  - 심한정도의 스트레스(화상, 다중골절) : 1.5~2.0 g/kg
  - 신부전 : 0.6~0.8 g/kg
  - 혈액/복막투석 : initially 1.2~1.3 g/kg, up to 1.5~1.8 g/kg
  - 간경화증 : 1.0~1.5 g/kg
  - 간성뇌증 : 과거 0.6~0.8 g/kg 정도의 제한이 추천되었으나 최근에는 1.0~1.5 g/kg로 유지하는 것이 추천됨

(2) 열량 또는 비단백열량 대 질소비(calorie or nonprotein calorie to nitrogen ratio)를 이용한 단백질 필요량: 하루에 필요한 열량에서 적절한 단백질량을 추정하는 방법.

- 비단백열량 대 질소(nonprotein calorie : N) 비율: 스트레스가 없는 환자 150 : 1, 스트레스가 있는 경우 80~100 : 1
- 동화작용을 위한 비단백 열량 대 질소(nonprotein calorie : N)의 비율 120~180 : 1, 총열량 대 질소(calorie : N)의 비율 100~150 : 1이 권장

1일 단백질 필요량(g) = 6.25 x 1일 질소 필요량(g)

= 6.25 x (1일 필요열량(kcal) / 총열량 대 질소비율 또는 비단백열량 대 질소비율)

(3) 질소평형을 이용한 단백질 필요량

- 체내 질소와 단백질 변화를 측정하는 가장 전통적이면서 많이 사용되는 방법으로, 체내 총 단백질의 변화와 영양지원 효과를 평가.
- 24시간 소변을 모아 측정하나, 더 단시간을 모아서 외삽하는 방법으로 계산하기도 함
- Urea가 총 소변 질소의 약 80%를 차지한다는 가정하에 산정. 다량의 설사나 장루를 통한 손실이 없을 때 대변과 피부에서 손실되는 질소는 각각 하루 약 2 g으로 추정.

질소평형에 해당하는 단백질량(g)

= 질소평형 × 6.25 = (질소 섭취 − 질소 배설) × 6.25

≒ 24시간 단백질 섭취량 (g) − [소변요소질소농도(UUN) (mg/100ml)
× 24시간 소변량 (L/day)/100 + 4 g*] × 6.25

(*소변을 통해 배출되는 비요소질소 + 대변과 피부를 통한 질소
손실량, 과다한 설사나 장루/누공으로의 손실이 있으면 증가)

질소평형이 0이 되는 상황에서의 단백질 필요량(g)

= [24시간 뇨 질소량 (g) + 4 g] × 6.25

= [소변요소질소농도(UUN) (mg/100ml) x 24시간 소변량(L/day)/100
+ 4 g] × 6.25

– 음의 질소평형: 스트레스, 외상, 오랜 기간의 부동화
  (immobilization) 등으로 질소 손실이 섭취량을 초과

– 양의 질소평형: 회복을 위한 충분한 열량과 단백질을 공급받
  고 있다는 것을 의미.

– 중환자에서는 대사성 스트레스 반응이 호전되어야만 양의
  질소평형을 기대할 수 있기 때문에 양의 질소평형보다는 질
  소손실을 최소화하는 것이 현실적인 목표

3 탄수화물(Carbohydrate)

• 4 kcal/g, 수용액으로는 3.4 kcal/g

- 단백질이 열량원으로 우선적으로 이용되지 않고 고유의 기능을 위해 쓰이려면 탄수화물과 지질을 통해 충분한 열량이 공급되어야 함
- 탄수화물 공급 부족: 포도당 신생과정(gluconeogenesis)을 위해 체단백 분해가 증가
- 탄수화물 공급 과다: 지방합성(lipogenesis)을 촉진하여 지방간과 간 기능장애를 초래, 고혈당, 이산화탄소 발생 증가로 폐질환 환자의 호흡 고란 초래.
  → 정맥영양을 통해 포도당을 공급시 권장 주입속도(glucose infusion rate, GIR)가 최대 4-5 mg/kg/min (7 g/kg/day)을 넘지 않도록 해야 함

4 지질 (Lipid)

- 일반적으로 9 kcal/g, 중쇄중성지방은 8.3 kcal/g
- 지질은 (1) 단위 g당 높은 열량을 공급하는 좋은 에너지원이며, (2) 동량의 포도당보다 적은 이산화탄소를 대사산화물로 방출하고, (3) $\omega-3$ 지방산은 면역과 염증 반응을 조절할 수 있을 것으로 기대되며, (4) 포도당만 공급할 때에 비해 고지혈증이나 포도당산화의 부족, 간기능 이상 등 부작용이 적기 때문에 좋은 열량 공급원으로 각광받음

- 또한 필수지방산 결핍을 예방하기 위해서도 최소한의 지방 공급을 유지해야 하는데, 지질이 포함되지 않은 상품화된 정맥영양액(2 in 1)을 환자에게 처방하고 지질 공급을 추가로 하지 않거나, 지질이 포함된 정맥영양액(3 in 1)을 투여하면서 추가로 지질을 너무 많이 공급하는 등의 실수가 생기지 않도록 주의하여야 함

- 경장영양에서 총 칼로리의 15−50%를 질병 상태에 따라 지방으로 공급하고, 대사적으로 스트레스를 받은 환자에서는 총 열량의 25−30%를 지방으로 하는 것이 제안됨[11]

- 급성호흡곤란증후군(ARDS)에서는 지방을 많이 공급하고, 특히 ω−3 지방산을 많이 포함한 지질이 도움이 되는 것으로 보임.[12]

- 반면, 화상 환자에서는 고탄수화물과 저지질(총 열량의 3−15%) 식이가 단백질 손실을 줄이고 성적을 향상시키는 것으로 나타남.[13−16]

- 정맥영양에서는 정맥용 지질액의 투여 속도가 2.5g/kg/d (0.11g/kg/h) 이상이 되어서는 안 되며, 중증 환자에서는 더 천천히 ≤1.0 g of lipid/kg/d가 권장(총열량의 약 30%를 공급하는 것에 해당). 비단백열량(nonprotein calorie)으로 환산했을 때 통상적으로 정맥영양의 15~30%, 경장영양의 20~35%를 지방으로 공급

(1) 필수지방산

① 리놀레산과 α-리놀렌산은 두개 이상의 이중결합이 존재하는 다중불포화 지방산(polyunsaturated fatty acids, PUFAs)으로, PUFA는 이중결합의 위치에 따라 ω-3,6,7,9,11 등으로 구분

② 권장양 : 리놀레산으로 총 열량의 2~4%, 리놀렌산으로 총 열량의 0.25~0.5%. 정맥영양공급을 하는 경우 적어도 1.0g fat/kg/wk 또는 20% lipid emulsion 500 ml/wk를 포함

③ 결핍증상

리놀레산(linoleic acid) 결핍 증상: 마르고 비늘모양의 피부발진, 감염에의 취약성, 상처 치유 부전, 면역기능 이상

α-리놀렌산(α-linolenic acid) 결핍 증상: 저림, 이상감각, 시야흐려짐, 걷기의 어려움 등 신경학적 증상

- **Eicosanoid** : 20개의 탄소로 이루어진 아라키도닉산과 EPA 및 그로부터 생성되는 프로스타글란딘, 류코트리엔, 트롬복산, 프로스타사이클린, 리폭신 등. 혈소판 응집, 신경전달물질 방출, 혈관 기능, 감염, 염증 및 면역 체계 활동에 영향을 미침. 리놀레산은 ω-6지방산으로 아라키도닉산(20:4n-6 arachidonic acid)의 전구체이며, 리놀렌산은 ω-3 지방산으로 EPA (20:5n-3 eicosapentaenoic acid)와 DHA (22:6n-3 docosahexaenoic acid)의 전구체.

(2) 단쇄지방산(Short-Chain Fatty Acids(SCFAs)

- 탄소가 6개 이루어진 지방산. acetate (2C), propionate (3C), butyrate (4C) 등
- butyrate는 대장염에서 증상을 낮추는 것으로 보고되었으며, Glucagon-like peptide-2의 발현 증진을 통한 단장증후군에서의 효과에 대해서도 관심이 모아짐[17]

(3) 중쇄중성지방(MCT, medium-chain triglyceride)

- 탄소가 6-10개로 이루어진 포화지방산
- 필수지방산을 포함하지 않으며, 8.3 kcal/g의 열량을 공급
- 담즙이나 췌장액의 필요 없이 직접 간문맥을 통해 간으로 전달됨.
- 주로 에너지원으로 사용되며, 장쇄중성지방과 달리 지방세포로 많이 저장되거나 망상내피계에 영향을 주지 않아 중환자에게 좋은 지질 공급원임.

---

5 수분(Fluids)과 전해질(Electrolytes)

(1) 수분(Fluids)

- 성인의 수분 필요량은 30~40 ml/kg/day 또는 1~1.5 ml/kcal → 개인별 섭취량과 배출량, 불감수분손실(insensible loss)

등을 고려하여 조정해야 함

- 수분 필요량이 증가하는 경우: 임신, 고열, 발한, 설사, 출혈, surgical drains, 피부손상(화상, open wounds), 누공 등
- 수분 제한이 필요한 경우 : 심부전, 간경변, 신질환, 항이뇨호르몬분비 이상증후군(SIADH) 등
- 고령에서는 갈증 기전 기능이 저하되고 체내 수분 함유능력이 저하되므로 수분 부족에 처하는 경우가 많아 input/output data를 주의 깊게 관찰해야 함
- 배액량이 많은 경우 추가 공급 고려(담즙이 섞이지 않은 위액 : half saline 1L +KCl 20 mEq, 나머지 대부분의 장액 : Hartmann solution)

(2) 전해질(Electrolytes)

① 건강한 성인의 electrolytes 요구량(표 2)

표 2. 건강한 성의의 전해질 요구량

	Enteral	Parenteral
Sodium	500 mg/day (22mEq/day)	1~2 mEq/kg/day
Potassium	2 g/day (51mEq/day)	1~2 mEq/kg/day
Chloride	750 mg/day (21mEq/day)	As needed to maintain acid-base balance
Acetate	−	As needed to maintain acid-base balance
Calcium	1200 mg/day (60mEq/day)	10~15 mEq/day
Magnesium	420 mg/day (35mEq/day)	8~20 mEq/day
Phosphorus	700 mg/day (23mmol/day)	20~40 mEq/day

Ref. A.S.P.E.N. Nutrition Support Practice Manual 2nd Ed.

② 전해질 요구량 증가, 감소
- 전해질 요구량 증가
  - Na, K, Cl: 구토, nasogastric suction, gastrostomy에 의한 배출
  - Na, K, Mg, HCO₃: 설사, 장루에 의한 소실
- 전해질 요구량 감소
  - Na: 울혈성 심부전
  - K, Mg, P: 신부전

③ 환자의 임상 상황에 맞추어 혈액검사 결과를 바탕으로 제공

④ 정맥영양의 경우 투여 제형과 증가 요인(표 3)

표 3. 전해질 요구의 증가 요인 및 투여 제형

	증가 요인	제형
Calcium	High protein intake	Ca gluconate
Magnesium	GI losses, drugs, refeeding	Mg sulfate
Phosphorus	Hign dextrose loads, refeeding	Na phosphate, K phosphate
Sodium	–	Na phosphate, Na chloride, Na acetate, Na lactate
Potassium	Diarrhea, vomiting, NG suction	K phosphate, K acetate, K chloride

Ref. A.S.P.E.N. Nutrition Support Practice Manual 2nd Ed.

6 비타민과 미량원소(Minerals and Trace Elements)

① 경장영양: 일반적으로 일일 섭취량 기준에 맞춰짐. 1,000-1,500 ml 이하로 투여될 때에는 일일권장량에 미치지 못하므로 추가 투여 필요

② 정맥영양: 시판되는 TPN 제제에 포함 안 됨.

   i. 통상적으로 상용 종합비타민 제제 1일 1회 투여(제제에 따라 folic acid, biotin 등 포함 안 됨)

   ii. 미량원소제제는 용량을 확인하여 TPN 제제에 추가. 예) Furtmann®: 0.5 ml/day, multiblue5® 2.5 mL/day

   iii. 간기능 이상 시 구리, 망간 공급의 제한을 위해 복합제제를 피하고 필요시 아연, 셀레늄 등의 단일 제제 사용

   iv. 신부전 – 아연, 크롬, 셀레늄, 요오드 등은 신배설되지만 장으로도 소실되어 신부전에서 과잉 축적은 드묾

   v. Iodine과 molybdenum의 경우, 정맥영양에서의 지침이 마련되어 있지 않아 일반적으로는 공급하지 않음

표 4. **일일 미량원소 필요량**

미량원소	일일 섭취량	Furtmann® (mL당)	멀티블루® (mL당)
아연	2.5 – 5 mg	5 mg	1 mg
구리	0.3 – 0.5 mg	1 mg	0.4 mg
망간	60 – 100 mcg	500 mcg	100 mcg
크롬	10 – 15 mcg	10 mcg	4 mcg
셀레늄	20 – 60 mcg	–	20 mcg

③ 비타민 B1: 알코올성 간질환에서는 Wernicke 뇌증 예방
을 위해 포도당 투여 전 공급 필요

④ 비타민 K : 정맥영양만 공급하는 환자에서 필요. 투여하
는 정맥 종합비타민 제제에 포함되어 있지 않으면 매주
별도로 공급

7   **영양지원 방법의 결정**

1) 영양지원경로의 결정

─ "If the gut works, use it" : 경장영양은 장의 기능을 보존하
고 감염을 줄일 뿐 아니라 비용─효과적인 측면에서 우선
적으로 권장되는 영양지원 방법임[18,19]

2) 경장영양의 장점

- 음식이 간에서 first─pass effect를 거치며 더 효과적으로 이
용되도록 생리적 과정을 거침
- Cholecystokinin을 분비하여 담낭기능을 유지하고, 담낭염
발생률을 줄임
- 글루타민과 단쇄지방산 ─ 소장과 대장의 중요한 에너지원
- 장의 면역 기능 유지(gut─associated lymphoid tissue and mucosa─
associated lymphoid tissue (GALT and MALT) 지원)

- 세균의 부착과 장벽을 통한 이동을 방해하는 immunoglobulin A의 분비 촉진[20]
- 감염 합병증을 줄임(패혈증, 폐렴, 복강내 감염, 카테터 감염), 중환자실 및 병원 재원기간 감소[21-23]

3) 경장영양과 정맥영양의 선택

- 경장지원의 적응증: 위장관이 기능을 하지만 경구 섭취가 불가능하거나, 부족하거나, 위험한 경우(경구섭취만으로는 영양결핍이 될 수 있는 사람, 만성 질환에서 입맛이 없어 경구 섭취를 못 하는 사람, 신경학적 질환이나 목인두의 문제로 연하장애가 있는 사람, 심한 외상이나 화상, 중한 질환 등으로 대사성 요구량을 충족시킬 수 없는 사람. 수술 전 심한 영양결핍이 있는 사람 등)
- 다만 다음과 같은 환자는 경장영양적용의 금기대상이 되며, 이 경우 정맥 영양을 통한 영양공급을 고려할 수 있음
  - 수술이 어려운 기계적 장폐쇄
  - 약물적 치료에 반응하지 않은 난치성 구토, 설사
  - 심한 단장증후군(100 cm 미만의 소장)
  - 마비성 장폐색증
  - 원위부 고배출량 장피누공(경장튜브가 지나치기에 너무 먼 위치)
  - 심한 위장관출혈
  - 심한 위장관 흡수장애

- 위장관으로의 접근이 불가능한 경우
- 경장영양을 위한 적극적 중재가 바람직하지 않을 때
- 공격적인(aggressive) 중재가 바람직하지 않거나 환자가 원하지 않는 경우

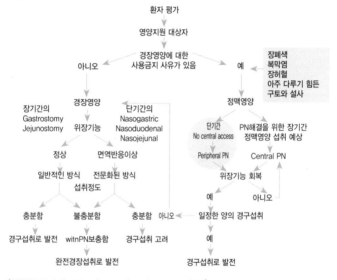

(ASPEN Adult Nutrition Support Core Curriculum 2012)

참고문헌

1. Directors ABo, the Clinical Guidelines Task F. Guidelines for the use of parenteral and enteral nutrition in adult and pediatric patients. JPEN Journal of parenteral and enteral nutrition 2002;26:1SA-138SA.

2. Cerra FB, Benitez MR, Blackburn GL, et al. Applied nutrition in ICU patients. A consensus statement of the American College of Chest Physicians. Chest 1997;111:769-78.

3. Frankenfield D, Roth-Yousey L, Compher C. Comparison of predictive equations for resting metabolic rate in healthy nonobese and obese adults: a systematic review. Journal of the American Dietetic Association 2005;105:775-89.

4. Frankenfield DC, Muth ER, Rowe WA. The Harris-Benedict studies of human basal metabolism: history and limitations. Journal of the American Dietetic Association 1998;98:439-45.

5. Sabiston DC, Townsend CM. Sabiston textbook of surgery : the biological basis of modern surgical practice. 19th ed. Philadelphia, PA: Elsevier Saunders; 2012.

6. Mueller CM, Charles M Mueller E, McClave SA. The A. S. P. E. N. Adult Nutrition Support Core Curriculum, 2nd Edition: American Society for Parenteral & Enteral Nutrition; 2012.

7.   Wooley JA, Sax HC. Indirect calorimetry: applications to practice. Nutrition in clinical practice : official publication of the American Society for Parenteral and Enteral Nutrition 2003;18:434-9.

8.   McClave SA, Spain DA, Skolnick JL, et al. Achievement of steady state optimizes results when performing indirect calorimetry. JPEN Journal of parenteral and enteral nutrition 2003;27:16-20.

9.   Holdy KE. Monitoring energy metabolism with indirect calorimetry: instruments, interpretation, and clinical application. Nutrition in clinical practice : official publication of the American Society for Parenteral and Enteral Nutrition 2004;19:447-54.

10. Reeves MM, Capra S. Predicting energy requirements in the clinical setting: are current methods evidence based? Nutrition reviews 2003;61:143-51.

11. Gottschlich MM. Selection of optimal lipid sources in enteral and parenteral nutrition. Nutrition in clinical practice : official publication of the American Society for Parenteral and Enteral Nutrition 1992;7:152-65.

12. Gadek JE, DeMichele SJ, Karlstad MD, et al. Effect of enteral feeding with eicosapentaenoic acid, gamma-linolenic acid,

and antioxidants in patients with acute respiratory distress syndrome. Enteral Nutrition in ARDS Study Group. Critical care medicine 1999;27:1409-20.

13. Garrel DR, Razi M, Lariviere F, et al. Improved clinical status and length of care with low-fat nutrition support in burn patients. JPEN Journal of parenteral and enteral nutrition 1995;19:482-91.

14. Gottschlich MM, Jenkins M, Warden GD, et al. Differential effects of three enteral dietary regimens on selected outcome variables in burn patients. JPEN Journal of parenteral and enteral nutrition 1990;14:225-36.

15. Selleck KJ, Wan JM, Gollaher CJ, Babayan VK, Bistrian BR. Effect of low and high amounts of a structured lipid containing fish oil on protein metabolism in enterally fed burned rats. The American journal of clinical nutrition 1994;60:216-22.

16. Hart DW, Wolf SE, Zhang XJ, et al. Efficacy of a high-carbohydrate diet in catabolic illness. Critical care medicine 2001;29:1318-24.

17. Tappenden KA, Albin DM, Bartholome AL, Mangian HF. Glucagon-like peptide-2 and short-chain fatty acids: a new twist to an old story. The Journal of nutrition 2003;133:3717-20.

18. Moore FA, Feliciano DV, Andrassy RJ, et al. Early enteral

feeding, compared with parenteral, reduces postoperative septic complications. The results of a meta-analysis. Annals of surgery 1992;216:172-83.

19. Braunschweig CL, Levy P, Sheean PM, Wang X. Enteral compared with parenteral nutrition: a meta-analysis. The American journal of clinical nutrition 2001;74:534-42.

20. Magnotti LJ, Deitch EA. Burns, bacterial translocation, gut barrier function, and failure. The Journal of burn care & rehabilitation 2005;26:383-91.

21. Dray X, Marteau P. The use of enteral nutrition in the management of Crohn's disease in adults. JPEN Journal of parenteral and enteral nutrition 2005;29:S166-9; discussion S9-72, S84-8.

22. Taylor SJ, Fettes SB, Jewkes C, Nelson RJ. Prospective, randomized, controlled trial to determine the effect of early enhanced enteral nutrition on clinical outcome in mechanically ventilated patients suffering head injury. Critical care medicine 1999;27:2525-31.

23. Kudsk KA, Minard G, Croce MA, et al. A randomized trial of isonitrogenous enteral diets after severe trauma. An immune-enhancing diet reduces septic complications. Annals of surgery 1996;224:531-40; discussion 40-3.

04

영양지원의 실제 (2)
Enteral Nutrition

영양지원의 실제 (2)
Enteral Nutrition

- 경장영양 시작: 7~14일 이상 NPO 시. 혈역학적으로 불안정한 상황에서 주의.
- 공급 경로 선택
  - 단기: 비위관, 흡인 위험시 비공장관.
  - 장기: 위조루술, 공장조루술.
- 공급시작 전 X-ray로 tip의 위치 확인 필요.
- 경장영양액: 대부분 환자에서 표준영양액이 적절.
- 주입방법
  - Bolus: 200 ml로 시작(10~15분간)→ 매 8~12시간마다 60~120 ml씩 증량. 흡인 방지를 위해 30~45도 상체 세움.
  - Continuous: 10~20 ml/h로 시작→ 4~8시간마다 10~20ml씩 증량.
- 경장→ 경구 이행: 50% 이상 경구섭취까지 경장영양 유지→ 50~75%: 경장영양 줄임→ 75% 이상: 경장영양 중지.
- 모니터링 및 합병증
  - 설사: 원인확인(약물, 감염, 염증, 대변막힘, 영양액 주입 속도 등)→ 주입속도 조절, 약물 교환, 감염 시 항생제, 등장성 혹은 희석 영양액으로 교체, 필요시 지사제 사용 등.

> ─ 구역, 구토, 위배출지연: bolus 투여 직전 위잔류량 측정. 주입속도 조절 등.
>
> ─ 흡인: 상체거상 확인. 발생 시 내과적 응급상황 ─ 상체 세우고 기관지 흡입과 산소 공급.
>
> ● 경장영양 시스템 관리
>
> ─ 연결 실수를 막기 위해 labeling을 하고 정맥용 의료기구와는 별도 기구 사용.
>
> ─ 오염 예방: 제조된 경장영양액은 상온에서 4시간 이상 노출되지 않도록. 냉장보관하더라도 24시간 경과 후엔 폐기.
>
> ─ 급식관 지속적 주입 시에는 4시간에 한번씩 물 30~50 ㎖ 정도를 주입하여 관을 씻어 준다.
>
> ● 급식 주입과 약물주입 전후에, 위 잔여량 확인 후에도 물 30~50 ㎖ 정도를 주입하여 관을 씻어준다.

---

1   경장영양의 시행

1) 경장영양 시작 시점

─ 7~14일 이상 적절한 경구 섭취가 이루어지지 않을 때(금식이 10~14일 이상 경과되면 합병증과 입원기간이 길어짐이 보고됨)

─ 중환자에서는 빠른 경장영양이 도움이 될 수 있을 것으로 보이나, 장관으로의 혈액 공급이 저하된 상황에서는 대상 환자를 잘 선택해야 함.

- ESPEN 가이드라인(2017)에서는 수술 후 빠른 경장영양의 시작에 대해 강조.
  - 일반적으로 모든 수술 이후 중단 없는 경구 음식 섭취를 권장(권고등급 A).
  - 상부위장관 수술이 시행된 경우에는 카테터 팁을 문합후 이후에 위치시켜서 경장영양을 시행할 수 있음(권고등급 B).
  - 경구영양공급이 어려운 다음과 같은 상황에서는 튜브를 이용한 조기 경장영양을 공급: 암으로 주요 두부 및 위장관 수술을 한 경우(A), 뇌 손상을 포함한 심한 외상(A), 수술 시 확연한 영양실조(A)

2 경장영양의 공급 경로

1) 경장영양 경로의 선택: 기간과 관 끝의 위치 고려

(1) 경장영양공급의 기간: 단기 vs 장기

① 단기: 3~4주 미만, 비위관 혹은 비공장관. 수술을 하는 경우에는 위조루술, 표준 소공장조루술, 바늘 카테터 공장조루술(needle catheter jejunostomy), 비공장관(naso-enteral tube)을 수술 중 거치할 수 있음.

② 장기: 4~8주 이상. 내시경, 영상의학적 방법, 복강경 및 개복 수술 방법 등을 이용하여 위조루술이나 공장조루술을 시행. 시술 전 혈액응고검사를 시행하여 출혈 성향을 파악하는 것이 추천됨. 예방적 항생제 사용이 장루주변 감염률을 감소시킨다고 보고됨.

(2) 위를 통한 공급 vs 유문이후(이상적으로는 Treitz 인대 이후) 공급

① 위를 통한 공급이 관의 거치가 쉽고 더 생리적이나, 심한 역류나 위배출지연, 췌장염 등이 있으면 경관영양–관련 흡인(tube feeding–related aspiration (TFRA))을 줄이기 위해 유문 이후로 접근해야 함.

② 위를 통한 공급을 지양해야 할 경우: 위마비, 최근의 복부수술, 췌장염, 심한 위식도역류, 폐흡인, 패혈증, 이전의 위절제술로 인해 잔위가 부족한 경우, 절제불가능한 위암, 췌장암 등.

2) 경장영양 튜브

(1) 튜브 재질

① 붉은 고무 튜브: 부드럽고 잘 휘어서 수술 중 쉽게 거치함. 위액에 쉽게 부식되기 때문에 단기 목적으로 주요 사용.

② 실리콘 튜브: 현재 사용되는 비위관과 도뇨관 등은 대부분 100% 실리콘으로 되어 있음. 잘 휘지만 위내 잔량을 평가하기 위해 흡입했을 경우 내강이 달라붙을 수 있음. 진균이 집락하면 수명이 짧아짐. 코를 통해 삽입한 경우 목에 이물감이 심하고 염증을 일으키기도 하여 사용에 제한이 있음. 대부분의 경피적 튜브의 재료.

③ 폴리우레탄 튜브: 실리콘에 비해 이물감이 적고, 얇기 때문에 같은 외경이라도 더 넓은 내경을 가짐. 진균에 보다

저항성이 크며 비위관이나 비장관에 적합.

(2) 튜브 형태

① 튜브의 굵기: 외경을 기준으로 함.

② 경피적 장루 튜브: 고정하는 내부 말단은 버섯 모양으로 된 실리콘이나 폴리우레탄 bolister 혹은 풍선으로 되어 있으며, 풍선의 수명은 약 3∼4달 정도임.

③ Low-profile tube: 입구가 피부 수준으로 납작하게 고안된 튜브. 튜브의 교체 시에 고려될 수 있음. 활발한 활동을 하는 사람이나 엎드려서 자는 경우에 도움이 됨.

3) 단기간의 비수술적 경관

(1) 비위관 삽입 시 주의점

① 흡인의 위험을 줄이기 위해 머리를 높이고 삽입해야 하며, 의식이 없거나 마취된 환자에서는 좌측 측와위가 위험을 줄임.

② 삽입을 마치면 청진으로 튜브 끝의 위치를 확인. 청진법의 정확도가 높긴 하지만 x-ray로 확인하는 것이 가장 정확하므로, 영양 공급 전 x-ray로 확인하는 것이 권고됨.

표 1. 위장관 급식튜브의 내경 및 길이

Tube type	Size (French)	Length (cm)
Nasogastric	8~16	38~91
Nasoenteric	8~12	91~240
Gastrostomy	12~28	Not applicable
Gastrojejunal	6~12	
Jejunal extension tube through existing gastrostomy		15~95
Dual lumen tube (gastric and jejunal)	16~30	
Single lumen (jejunal only)	12~24	15~58
Low-profile gastrostomy (replacement)	12~24	0.8~6.5
Low-profile gastrojejunostomy	14~22	15~45

(ASPEN core curriculum 2012)

(2) 삽입 후 구강 및 피부 관리

① 삽입 후 구강위생이 중요: 특히 인공호흡기 의존 환자나 의식수준이 떨어진 사람의 흡인성폐렴을 줄이기 위해 하루 두 번 이 닦기와 헹굼 필요. 환자 상태에 따라 얼음이나 단단한 사탕이 침을 흐르게 자극해줄 수 있음.

② Lip balm이나 petroleum jelly로 입술 보호. 코에 테이프 붙은 부위의 피부 관리 및 압박 괴사를 피하기 위해 튜브의 고정위치를 바꾸어 주어야 함.

4) 위조루술 Gastrostomy

(1) 경피적내시경위조루(percutaneous endoscopic gastrostomy):
Ponsky (pull) technique이 가장 많이 이용됨.

① 시행 전 위와 십이지장에 큰 궤양이나 종괴가 없는지 확인해야 함.

② 앙와위에서 내시경의 불빛으로 복부좌상복부의 위치를 정하고 손가락으로 눌러 내시경으로 위치를 동시에 확인.

③ 복부에 작은 절개를 가하고 바늘이나 투관침을 통해 가이드와이어를 넣음. 가이드와이어를 내시경으로 잡아서 입으로 꺼내어 튜브를 묶고 다시 위속으로 당겨서 넣은 후 절개 부위로 위치시킴.

(2) 영상의학적 경피위조루 조성술: 대개 투시 x-ray를 이용하지만 초음파나 CT를 이용하기도 함. 장을 복벽에 고정하기 위해 T-wire로 고정하기도 하며, T-wire는 2주 정도 후에 제거.

(3) 외과적 위조루술

① 위장의 형태를 변화시켜 위식도역류가 심해질 수 있으므로 심한 위식도역류나 흡인의 병력이 있는 경우 위저부 주름술(fundoplication)의 시행을 고려하고, 위배출지연의 경우에는 유문성형술을 시행할 수 있음.

    i. Stamm gastrostomy: 일시적인 용도로 많이 사용

    ii. Janeway gastrostomy: 영구적 위조루술용으로 사용

5) 공장조루술 Jejunostomy

(1) 수술적 공장조루술

- 내시경이나 투시 x-ray를 통해 소장을 직접 뚫는 방법도 있으나 기술적으로 어려움.
- 붉은 고무 튜브, 담관수술에 사용하는 T 튜브, 복막투석 카테터 등 사용.
- Infusion 펌프를 사용해야 함.
① Stamm jejunostomy
② Witzel jejunostomy: 장기간 경장영양이 필요한 경우 선호

6) 튜브 관리

(1) 드레싱: 경피적 조루술이 된 경우 초기 성숙할 때까지는 무균적 드레싱이 사용될 수 있으나 이후에는 장액이 새지 않는 한 드레싱은 필요 없으며, 연한 비누와 물로 씻은 후 잘 말리는 것이 좋음.

(2) 튜브의 제거: 트랙이 잘 성숙된 4주 이후에 안전하게 시행될 수 있음. 상처 치유가 지연되거나 스테로이드를 사용하는 경우에는 6주 이후에 제거하는 것이 추천됨. 튜브 제거 시에

는 윤활액을 충분히 바르고 제거.

(3) 튜브 교체: 풍선이 있는 튜브로 교체 시(3~4개월마다)에는 대
   개 위튜브인경우 10~20 ml, 소장튜브인 경우 3 ml 정도의
   공기나 식염수를 채워 넣음.

- **튜브 삽입 후 지침**(ASPEN Safe Practice for Enteral Nutrition therapy, 2016)
  ① Blind하게 위치시킨 튜브는 그 위치가 장관에 잘 위치하였는지를 영상
     의학적 검사를 통해 확인한 후에 경장영양 공급을 시작해야 함
  ② 성인에서는 비위관 삽입 후 기도나 소장이 아닌 위에 튜브 끝이 잘 위
     치되었는지를 확인하는 방법으로 청진에만 의존해서는 안 됨
  ③ 영상의학적 방법으로 튜브의 위치가 확인되면 튜브의 체외 exit site를
     표시해 두고 이후 튜브가 적절한 위치에서 빠져 나왔는지를 관찰하는
     것이 권고됨
  ④ 4-6주까지는 단기간의 비위관 등의 단기간의 영양공급 device를
     사용하고, 4-6주 이상 경장영양이 필요한 경우 장기간의 영양공급
     device의 사용을 고려해야 함
  ⑤ 장기간의 영양공급 device를 거치하기 전 다학제적 팀을 통해 1) 경장
     영액 루트를 만드는 위험에 비해 이득이 많은지, 2) 생의 말기 환자인
     경우 경장튜브를 거치해야 할 필요가 있는지, 3) 환자가 경구 섭취가
     거의 가능해진 단계이지는 않은지 등에 대해 평가해야 함
  ⑥ 경장영양공급 목적으로 제작된 튜브 외에 도뇨관이나 배액목적의 관
     을 사용하지 말 것을 권고: 연결실수나 튜브 빠짐으로 인한 유문 및 소
     장 폐색, 폐 흡인 등을 일으킬 수 있기 때문임
  ⑦ PEG tube는 거치 후 수시간 이내, 4시간 이내에 바로 사용이 가능하
     다는 결과도 발표되었으며, 적절한 사용시기에 대하여 교육이 필요함

3 경장영양액의 선택

1) 경장영양액의 선택

(1) 경장영양액의 선택은 영양투여 위치(위인지 소장인지), 환자의 소화능력과 흡수력, 열량과 단백질 요구량, 총투여량, 전해질 제한 여부를 평가한 후 이루어져야 함. 대부분의 환자에서 표준영양액이 적절하며, 특수영양액의 효용성에 대한 증거는 아직 제한적임.

- **경장영양액 선택에 대한 ESPEN 가이드라인(2017)**

  – 대부분 환자의 경우 표준 whole protein formula가 적절히 사용될 수 있음(C).

  – 영양학적으로 저명한 영양불량이 있는 환자들이 식도절제술, 위절제술, 십이지장췌장절제술 등의 주요복부 수술을 받거나 심한 외상을 받은 경우에는 arginine이나 ω−3 지방산, nucleotide가 풍부한 immune modulating formula이 도움이 될 수 있음(A).

  – 주요 암 수술을 받는 영양 실조 환자에게 면역 영양소 (arginine, ω−3 지방산, ribonucleotide)가 풍부한 formula를 수술 전후에 투여하여 도움이 될 수 있음(B).

---

2) 환자의 순응도에 영향을 미치는 경장 영양액의 특성

(1) 삼투압: 상업용 조제식의 평균 삼투압 270~700 mOsm

  ① 삼투압이 높은 영양액이 설사를 조장할 것이란 추측이

있지만 삼투압과 순응도는 큰 관계가 없고 환자 상태나 장내세균, 병용약품 등과 더 관계가 있는 것으로 보임.

(2) 신용질 부하

① 단백질과 전해질(Na, K, Cl) 함량에 의해 결정됨.

② 신용질 부하가 클수록 신장을 통해 배설시키는 데 수분 양이 많이 필요해짐.

→ 탈수 위험: 어린이나 노인 혹은 신기능 이상 환자, 수분 손실이 많은 환자 주의.

(3) 섬유소

① 섬유소에 따라 변의 양과 횟수에 영향을 줌.

② 경장영양액의 점도를 증가시켜 내경이 작은 feeding tube 의 경우 막히기 쉬움.

(4) 열량 밀도

① 농축된 제제일수록 위배출 시간 지연 & 삼투압과 신용질 부하가 증가 → 수분 상태 모니터링 필수.

3) 경장영양액의 성분

(1) 탄수화물

① 주로 maltodextrin 이용, sucrose, maltose, glucose,

fructose 첨가하기도 함.

(2) 지질

① 식물성유(corn, canola, soybean, safflower oil) 및 MCT oil, fish oil (ω−3) 사용. 대부분 장쇄지방산과 단쇄지방산을 혼합. 면역에 미치는 영향을 고려하여 ω−3와 ω−6의 비유을 조정한 영양액들이 상용화됨.

(3) 단백질

① Intact proteins: 소화와 흡수에 정상적인 췌장효소가 필요.

② Elemental formulation: hydrolyzed protein, di− and tri−peptide, free amino acid로 이루어져 장관기능이 비정상적인 단장증후군, 흡수장애질환, 췌장효소결핍 환자 등에서 사용됨.

③ 면역기능과 관련된 glutamine, arginine을 함유한 제제들이 연구 중.

(4) 수분

① 총량의 100%가 수분이 아니므로 수분 필요량에 맞추어 추가 투여 필요.

② 1 kcal/cc formula: 약 85%가 수분.

③ 2 kcal/cc formula: 약 70%가 수분.

(5) 섬유소

① 불용성 섬유소: soy polysaccharide. 장배출시간(transit time)을 줄이는 데 도움이 될 수 있음.

② 수용성 섬유소: arabic gum, guar gum, pectin. 물과 나트륨을 흡수하여 설사를 조절하는 데 도움이 될 수 있음.

③ 중환자나 장관 허혈의 위험이 있는 환자에서는 섬유소가 없는 영양액을 쓰는 것이 안전함.

(6) 비타민, 무기질

① 대부분의 영양액은 하루 1,000~1,500 ml가 투여될 경우 비타민과 무기질의 하루 필요량을 공급하게 됨. 그 이하로 투여될 경우 비타민과 무기질의 보충이 필요함.

4) 경장영양액 분류

(1) **표준영양액**: 대부분의 환자에게 일차적으로 적용. 주요 영양 공급원 또는 경구 보충용으로 사용 가능.

① 삼투압: 등장성~고장성(300~700 mOsm/kg H_2O)

② 열량농도: 1~2 kcal/ml

③ 단백질: 35~62 g/L (high quality, intact proteins)

④ 탄수화물: 삼투압을 낮추기 위해 복합당질 형태로 함유.

⑤ 지방: 장쇄지방산 ± 단쇄지방산

(2) 고농축영양액(nutrient-dense formula): 수분 제한이 필요한 환자(심부전, 신부전, 폐부전, 간부전 등)에서 도움이 될 수 있을 것으로 기대.

① 삼투압: 고장성($640{\sim}950$ mOsm/kg H_2O)

② 열량농도: $2{\sim}2.25$ kcal/ml

③ 단백질: $57{\sim}84$ g/L (high quality, intact proteins)

④ 탄수화물: 삼투압을 낮추기 위해 복합당질 형태로 함유.

⑤ 지방: 열량의 $30{\sim}55\%$ 함유(장쇄지방산과 단쇄지방산).

(3) 암환자용

① 삼투압: 고장성(635 mOsm/kg H_2O)

② 열량농도: 1.27 kcal/ml

③ ω 고단백: 64 g/L (열량의 21%)

④ 지방: $\omega-3$ fatty acids 함유.

⑤ Fish oil을 이용한 $\omega-3$ 함유 제재가 암악액질에서 체중감소, 식욕, 생존율, 삶의 질을 높일 것이라는 기대가 있었으나 이중맹검 임상시험에서는 큰 이득을 보이지 않아 현재로서는 특수영양액이 암환자의 체중감소와 악액질에 이득이 있는지 뚜렷한 증거가 없는 상태.

(4) 면역강화용

① 외상, 패혈증, 중증화상, 수술 후 스트레스 상태의 환자

등에서 도움이 될 것으로 추정.

② ω−3 fatty acids, nucleotides, arginine, glutamine 등 함유.

③ 고열량(1~1.5 kcal/ml), 고단백(55~84 g/L)

④ 일부 감염과 인공호흡기 의존도, 재원기간을 줄인다는 보고가 있으나 아직 그 이득에 대한 증거가 불충분하며, 중환자에서 arginine을 다량 함유한 영양액은 사용해서는 안된다는 의견이 있음.

(5) 당뇨용

① 탄수화물이 적음(총 열량의 34~40%).

② Modified fat이 많음(총 열량의 40~49%).

③ 섬유소가 많음 10~15 g/L: 위장배출지연을 줄임.

④ 삼투압: 370 mOsm/kg H_2O

⑤ 열량농도: 1.0 kcal/ml

⑥ 아직 당뇨용 영양액이 당뇨환자에게 더 유익하다는 증거는 충분치 않으며 고가이므로, 표준 영양액을 혈당 모니터링과 필요시 인슐린을 사용하면서 시작하고 혈당조절이 어려운 경우에 당뇨용 특수영양액을 고려해 볼 수 있겠음.

(6) 간질환용

① 간성혼수: 증가된 방향성 아미노산이 혈액–뇌 장벽을 투과해 신경학적 문제를 일으킴.

② 삼투압: >450 mOsm/kg H_2O, 고열량(1.2~1.5 kcal/ml)

③ 단백질: BCAA/AAA 비율증가

④ 지방: 저지방(담즙합성감소, cholestasis 등으로 인한 흡수불량 고려)

⑤ Branched chain amino acid (BCAA)의 공급이 간성혼수에 도움이 된다는 증거가 아직까지 확정적이지 않으며 routine한 사용은 추천되지 않음. 표준영양액을 공급받는 중 만성적 뇌증이 있으면서 약물치료에 반응하지 않는 경우는 고려해볼 수 있겠음.

⑥ 대부분의 간질환 환자는 일당 1 g/kg의 단백질을 견딜 수 있으므로 routine한 단백질 억제는 필요하지 않고, 단백질을 줄이더라도 기간을 최소화하고 영양상태에 대해 모니터링을 잘 해야 함.

(7) 소화기흡수장애용

① Celiac disease, 염증성장질환, 만성췌장염 등.

② 고삼투압(chemically defined formula의 경우)

③ 단백질: 아미노산, 단백질의 부분 가수분해물

④ 지방: 저지방이 원칙이나 MCT를 함유한 제품도 있음.

(8) 폐질환용

① 이산화탄소발생량감소: 산소 1로 산화하였을 때 발생하는 이산화탄소의 양은 지방에서 0.8, 단백질에서 0.8, 탄수화물에서 1.0(respiratory quotient, RQ), 지방의 비율을 높이고 탄수화물의 비율을 낮춤.

② 고열량(1.5 kcal/ml), 고단백(63~75 g/1,000 kcal)

③ 저탄수화물(<40% of kcal)

④ 지방: 장쇄지방산＋단쇄지방산. 총열량의 40~55%

⑤ 탄수화물의 비율보다는 과도한 열량공급 자체가 이산화탄소 생성에 더 큰 영향을 미치므로, routine use가 권장되지 않고 폐질환과 이산화탄소 저류가 있는 경우에는 과한 영양공급을 주의해야 함. 인공호흡기에서 weaning 중에는 경관영양 공급을 줄이는 것이 좋음.

(9) 신장질환용

① 투석 이전의 환자용은 단백질 양이 제한되어 있고, 투석을 하는 환자용은 단백질 함량이 높음.

② 급성 신부전으로 continuous renal replacement therapy (CRRT)를 받는 경우 단백질 필요량은 하루 2 g/kg까지 높아짐.

③ 고열량: 2.0 kcal/ml (삼투압 630~700 mOsm/kg H_2O)

④ 단백질: 20~70 g/1,000 kcal (intact protein)

⑤ 지용성비타민과 무기질 함량, 전해질 함량 낮음.

⑥ 일반적 사용을 추천할 근거는 부족한 상태. 투석 이전의 신부전 상태에서는 고열량, 저단백질 영양액이 도움이 될 수 있으나 장기간 사용 시에는 영양 상태에 대한 close 모니터링이 필요.

⑦ 투석을 하는 중 지속되는 고칼륨혈증이나 고인산혈증이 있는 경우 저전해질 영양액이 도움이 될 수 있으나 일단 정상 범위로 회복된 후에는 표준 고열량 영양액을 사용 하는 것이 비용−효과적임.

4 주입방법

Full−strength formula를 느린 속도로 시작하여 지속적으로 진 행(희석된 농도가 더 잘 순응된다는 증거가 없고 오히려 영양공급량을 충 족시키지 못함).

1) Bolus feeding

⑴ 비위관 또는 위루관을 가진 환자에서 위장내 주입시 이용. 의식이 있는 환자에게 권장.

⑵ 주사기 또는 중력(gravity)을 이용한 점적법.

⑶ 200 ml 내외를 단시간 내(보통 10~15분, 빠른 속도에 적응이

안 되는 환자는 중력을 이용하여 30~60분 정도로 천천히 주입)에

주입, 1일 3~8회 주입.

(4) 매 8~12시간마다 60~120 ml씩 증량.

(5) Tube 사용시마다 약 30 ml의 물을 flushing.

(6) 간편하고 경제적(별도의 기구 필요없음).

(7) 오심, 구토, 설사 생기기 쉬움.

• **기도 흡인을 방지하기 위한 자세**

- 주입하는 동안 및 주입이 끝난 후 1~2시간 정도 상체를 30도, 가능하면 45도 정도 세우는 것이 좋음(A).

- 환자가 상체만을 올릴 수 없는 경우 reverse Trendelenberg 자세를 이용(C).

- 시술이나 내과적인 문제로 침대 머리의 높이를 낮게 되면, 가능한 한 빨리 침대머리를 높이는 자세로 돌아가도록 해야 함(C).

- 다음 feeding 전에 잔류량을 측정하여 측정된 잔류량이 두 번 200~250 ml 이상(위조루술 튜브는 100 ml 이상)이면 prokinetics 사용을 고려. 지속적으로 200~250 ml 이상이거나 500 ml 이상인 경우에는 feeding을 보류하고, 신체 검사 및 장관 이상에 대한 평가와 혈당 조절, 진정 깊이의 조절 등을 시행하고 Treiz ligament 이후의 경관 투여도 고려.

ASPEN EN practical recommendation 2009, ASPEN core curriculum 2012

---

2) Intermittent feeding

(1) 4~6시간마다 200~300 ml를 30~60분에 걸쳐 공급.

(2) 중력 또는 pump 이용.

3) Continuous feeding

(1) 비공장관, 위공장관, 공장관을 가진 환자에게. pump를 통한 지속적 주입.

(2) Low rate으로 12~24시간 동안 지속.

(3) 10~20 ml/h 정도의 낮은 속도로 시작해서 4~8시간마다 10~20 ml 속도로 증량.

(4) 목표치에 도달하는 데 5~7일 정도 소요.

(5) 흡인 위험과 위내 잔여물 최소화 가능. 설사 등의 부작용이 적음.

4) Cyclic feeding

(1) 중력 또는 펌프 이용.

(2) 1일 8~20시간 정도 주로 밤에 공급하는 방법.

(3) 환자가 안정된 경우, 환자가 낮에 활동이 필요하거나 구강 섭취와 병행할 때.

5) 경관 영양에서 경구 섭취로의 전환

(1) 경구섭취를 시작하고 계속 섭취열량을 계산.

(2) 식사 약 1시간 전부터 경장영양을 중단하여 식욕을 유발하게 할 수 있음.

(3) 연하 장애 없는 경우: Full liquid diet부터 천천히 solid food로 진행하되 영양 요구량의 50% 이상을 경구 영양으로 섭

취 가능할 때까지 경장영양을 유지.

(4) 연하 장애 있는 경우: VFS (video fluoroscope) 의뢰를 통하여 dysphagia diet 단계에 따라 diet 진행하되 영양 요구량의 50% 이상을 경구 영양으로 섭취 가능할 때까지 경장영양을 유지.

(5) 경구섭취가 영양필요량의 50% 정도로 2~3일간 유지되면 경장영양의 속도를 늦춤.

(6) 경구 섭취가 총열량 요구량의 75% 이상 가능하게 되면 경관 영양은 중단.

(7) 섭취가 1일 500~700 kcal정도 되면 경장영양은 밤에만 공급.

(8) 만약 식사시간에 섭취가 적으면 경장영양을 식사 직후에 볼루스 주입하는 방법도 가능: 식욕저하에 영향이 없음.

6) 정맥영양에서 경장영양으로 이행

(1) 경장영양 비율 증가에 환자가 잘 적응하면 서서히 정맥영양 비율을 조정하여 총열량이 적절히 공급될 수 있도록 함.

(2) EN으로 필요열량의 33~50%를 공급 가능하면 정맥영양을 줄여 나감.

(3) 필요 열량의 75%를 경장영양으로 공급할 수 있으면 정맥영양을 중단하고 경장영양을 증가시켜 목표열량까지 공급.

5 모니터링

1) 모니터링의 목적

(1) 영양 공급의 적절성을 평가.

(2) 문제점과 합병증을 조기 발견.

2) 지표

(1) 생체징후

(2) 실제 섭취량(경구, 경장, 정맥 영양)

(3) 배설량(소변, 위장관, 상처로의 소실, 배액관 양)

    ① 수분과다: 부종, 소변량과다, 혈압, 호흡곤란, 울혈성심부전 등.

    ② 수분부족: 소변량 감소, 점막건조, 피부긴장감소, 기면, 저혈압, 빈맥, BUN 증가 등.

(4) 체중 및 신체계측치 변화 양상

    ① 체중은 최소한 주 1~2회는 측정할 것.

    ② 조건: 오전, 식사 전, 소변을 본 이후, 같은 저울로, 옷은 최소한으로 착용.

(5) 생화학검사: 일반혈액, 혈당, 혈중요소질소, 크레아티닌, 전해질(Na, K, Cl, CO_2), 칼슘, 마그네슘, 인산, 간기능검사, 트리글리세리드, 단백질, 프로트롬빈시간, 요당, 요중 나트륨, 요비중 등)(표 2).

⑹ 영양공급의 적절성 지표: 알부민, prealbumin 변화양상, 질소평형 검사.

⑺ 동반 약물 및 영양공급제 review.

⑻ 소화관 적응도

① 장루 배설양, 대변 빈도 및 경도, 대변내 혈액, 복부 팽만/경직, 복부 둘레 증가, 장음, 구역, 구토, 잔류량과 잔류액의 양상.

- **경장영양액의 관리(ASPEN EN Practical Recommendation (2017))**
  ① Labeling의 중요성
    - 경장영양 공급관을 정맥라인에 연결하는 실수는 치명적인 결과를 가져올 수 있음.
    - 사용되는 용기, 주사기, 펌프 등에 정맥용이 아니며 경장영양용임을 명확히 기재하는 것이 중요.
    - ASPEN 가이드라인에서는 label을 표준화하여 사용할 것과 label이 처방 내용과 일치하는지를 투여 전 확인할 것을 권고
  ② 오염의 예방
    - 경장영양액을 제조하는 경우에는 엄격한 무균기법을 사용하여 훈련받은 사람이 제조할 것을 권고
    - 제조된 경장영양액은 냉장보관해야 하며 24시간 경과 후엔 폐기. 상온에는 4시간 이상 노출되지 않도록 권고
    - Drip chamber가 있는 펌프를 이용하는 방법이 경장영양튜브에서 역류하여 경장영양액이 오염되는 것을 막을 수 있음
    - 개방형 시스템은 적어도 24시간마다 세트를 갈아주어야 함
    - Hang time
      a. 개방형 경장영양 공급 시스템의 주입 시간을 최대 4-8 시간(가정환경에서 12시간)으로 제한
      b. 재구성된 분말 제품 또는 모듈식 주입 시간을 최대 4시간으로 제한
      c. 개방형 시스템에 대한 제조업체의 권장 사항에 따라 전달 장치(관리 세트)를 변경

표 2. 생화학 검사

Parameters	Critically ill or feeding initiation	Nutritional stable state
Albumin	주 1회	주 1회
Prealbumin	주 1회	주 1회
Electrolytes, BUN/Cr	매일 → 주 3회	주 3회
Ca, P, Mg	매일 → 주 3회	주 1회
Liver function tests	주 1~2회	주 1회
N-balance	주 1~2회	주 1회
Weight	매일	주 1~2회
I & O	매일	매일
Bowel function	매일	매일
Urine of blood glucose	1일 2~4회	월 1회(*당뇨환자는 매일)

The science and practice of nutrition support, A case-based core curriculum 2001, ASPEN

6 경장영양의 합병증

1) 소화관 합병증

(1) 설사(발생률 2~63%) (그림 1)

　① 통상적 정의: 1일 3회 이상의 묽은 변, 또는 500 g 이상의 묽은 변이 2일 이상 지속.

　② 원인: 항생제(Clostridium difficile toxin), 삼투압성 약제, 주

입속도, 영양액의 삼투압, 영양불량(gut atrophy), 저알부민혈증 등과 관련.

i. 약물에 의한 설사

    a. 삼투성 설사: Mg 함유 제산제(MgO), sorbitol 함유 약품, K/Mg/P 보충제, 삼투성 설사약(lactulose 등)

    b. 비삼투성 설사: 항생제, quinidine, 자극성 설사약, 위장관운동촉진제(metroclopramide, erythromycin 등)

    c. sorbitol은 10~20 g의 소량이어도 설사 및 위장관 합병증을 일으킬 수 있음.

    d. 항생제는 C. difficile의 과증식 없이도 설사를 유발 가능.

    e. 소장으로 약물을 투여할 때에는 높은 삼투압으로 인한 덤핑증후군과 같은 증상을 일으키지 않도록 희석해서 투여해야 함.

    f. 칼륨과 같은 약들은 장을 직접 자극하지 않도록 10 mEq마다 30~60 ml로 희석해서 투여.

ii. 세균의 과증식

    a. 심한 장염과 설사, 열, 패혈증을 야기할 수 있음. 광범위 항생제의 오랜 사용을 지양.

    b. 경장영양액의 오염.

    c. 개방형 시스템보다는 폐쇄적 시스템이 오염을 줄임. 상온에서 영양액을 8~12시간 이상 걸지 말 것.

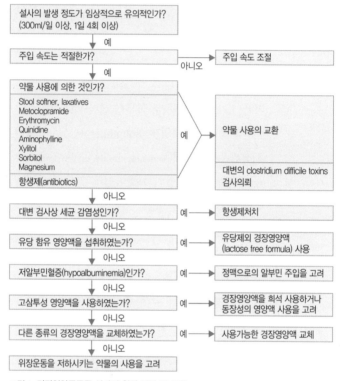

그림 1. 경장영양공급중 설사의 원인 감별 및 처치

iii. 지방변

　　a. 지방의 흡수장애로 발생하며, 단장증후군이나 췌장
　　　소화액 부전에서 보임.

　　b. 기름이 많고 냄새나는 변이 나오며 대변 지방 분석

으로 확인할 수 있음.

   c. 저지방 영양액이나 중쇄지방산을 많이 함유한 영양
액의 사용, 췌장소화제의 사용 등이 도움이 됨.

② 대책

   i. 초기공급 속도를 느리게 하고 지속적 공급 시도.

   ii. 증상이 없었던 마지막 속도로 내리고 증상이 소실되면
다시 속도를 높임.

   iii. 효과가 없다면 유문부 아래 또는 공장으로 공급.

   iv. 영양공급액의 냄새로 인한 경우 polymeric formula가
elemental formula에 비해 좋고, 항구역제가 도움이
됨.

   v. 위잔여량이 적은 경우는 항구역제가 도움이 됨.

(3) 위배출지연(delayed gastric emptying)

① 원인: 당뇨병성 위마비, 뇌손상, 패혈증, 복합외상, 저혈
압, 패혈증, 스트레스, 마취 및 수술, 위종양, 자가면역
질환, 외과적 미주신경절단술, 마약성 진통제, 항콜린약
제, 너무 빠른 공급속도, 너무 차갑거나 지방성분이 많은
영양공급액 등.

② 대책

   i. 마약성 진통제를 줄이거나 중지.

   ii. 저지방, 등장성 영양액으로의 변환.

iii. 용액의 온도를 통상실내온도 수준으로 투여.

iv. Bolus 투여 직전과 지속적 공급시에는 4시간마다 잔여량 확인하여 잔여량이 많으면 급식을 중단했다가 다시 시도 혹은 천천히 용액 주입 속도를 20~25 ml/h, bolus로 투여 시 회당 50~100 ml로 소량 투여.

v. 위장운동촉진제(metoclopramide, erythromycin) 고려.

vi. 일단 어느정도 순응하게 되면 주입속도를 8~24시간마다 높임.

(4) 변비

① 정의: 저잔사영양액은 대부분 흡수되고 변의 양이 적기 때문에 변의 횟수로 변비를 정의하기 어려움. 대장에 변이 많이 차 있는 상태를 임상적으로 변비로 정의.

② 원인: 탈수 및 수분섭취 부족, 식이에 섬유소가 너무 적거나 혹은 너무 과다, 장운동 저하, 분변 매복(fecal impaction), 활동량 부족.

③ 대책

i. 장기간의 경장영양에는 섬유소를 포함하는 것이 추천되며, 섬유소가 추가된 경우 대장에서 단단하게 굳지 않도록 kcal당 최소 1 ml의 수액을 공급해야 함.

ii. 수액제한으로 충분한 수분을 공급할 수 없으면 변 연화제(docusate sodium, docusate calcium 등), 설사제, 관장 등이 도움이 됨.

iii. 분변매복(impaction)은 직장수지검사로 진단할 수 있고 관장, 하제(sorbitol, lactulose), 때론 내시경으로 치료.

2) 흡인(aspiration): 0.8~95%까지 발생

(1) 증상: 호흡곤란, 빈호흡, 발열, 청색증, 불안, 초조 등. 증상이 없는 경우도 많음.

(2) 폐렴, 간질폐렴, 무기폐, 농흉, 기관지염, 급성폐손상, 성인호흡곤란증후군 등을 야기.

(3) 위험인자: 지속되는 앙와위, 기도삽관, 위배출지연, 위식도역류, 구토, 흡인의 병력, 개구 반사(gag reflex)의 저하(뇌졸중, 두부손상, 의식수준 저하, 신경근육질환 등), 공급튜브 위치의 잘못, 병원 내 이송, 부적절한 간호 등.

(4) 흡인은 내과적 응급 상황으로 발견하자마자 환자 상체를 세우고 기관지 흡입과 산소 공급을 시행해야 함.

(5) 예방

① 경관급식 전에 x-ray로 관의 위치 확인.

② 위험인자가 있을 때 관의 위치를 유문 이하로 거치.

③ 급식 전후 30분 상체 올림(30도 이상, 가능하면 45도).

- **급식관 막힘**
  - 위험 요인: 약제, 주입관의 내경, 미음의 종류, 부적절한 관세척(tube flushing).
  - 대책(ASPEN EN Practical Recommendation, 2017)
    ① 급식관 막힘을 방지하기 위해 continuous 공급일 경우 4시간마다, intermittent 공급일 경우 공급 전후로 30 ml 물로 튜브를 씻어준다.
    ② 잔류량 검사 후에도 튜브를 30 ml의 물로 씻어준다.
    ③ 약물투여 전후에는 멸균된 미지근한 물을 사용하는 것이 추천된다.
    ④ 공급 속도가 느릴 때에는 펌프를 사용한다.
    ⑤ 면역억제가 되어 있거나 중환자인 경우 수돗물의 안전성이 확보되지 않은 상황이라면 멸균된 물을 사용한다.
      - 약물은 액상 상태로 따로 공급. 주입 시 수분 공급을 충분히.

3) 대사적 합병증

(1) 충분한 증거가 없지만, 경장영양은 비교적 대사성 합병증의 발생률이 적은 편으로 보임.

  ① Tube feeding syndrome
    - 증상: Azotemia, hypernatremia and dehydration
    - 원인: High solute load + negative fluid balance, 농축 경관영양액의 부적절한 사용.
    - 위험군: 어린이, 노인, 의사 소통이 원활치 않은 환자
    - 예방 및 치료: 적절한 수분 공급(최소한 1 ml/kcal + losses). 1.5 g/kg IBW 이상의 단백질 공급 시 주의.

② Refeeding syndrome

- 장기간의 기아 상태에서 갑자기 영양 공급 시 혈장내 K, P, Mg level의 급격한 저하 및 기타 미량 영양소의 결핍을 보이는 현상.
- 모든 영양결핍 환자, 특히 설사, 구토, 고배출장피누공 등 다량의 전해질 소실이 있는 경우에서 항상 발생 가능성이 있음을 예상해야 함.
- 저인산혈증, 혈관내 용적 증가, 저칼륨혈증, 저마그네슘혈증, 드물게 Wernicke 뇌증이 동반 → 전해질 부족으로 인해 부정맥, 심폐부전, 흡인 및 사망으로 이어질 수 있음.
- 보통 영양공급 초기에 발생하며, 정상 혈장 전해질 농도에서도 발생 가능.
- 예상되는 환자에서는 초기 영양공급이 15~20 kcal/kg가 넘지 않도록 하며 초기 며칠간 자주 전해질 농도(P, K, Mg)를 확인해야 함.

③ 고혈당

- 경정맥영양에 비해 덜 발생.
- 고혈당을 줄이기 위해 지방과 섬유소를 높인 영양액은 위배출을 지연시키므로 위장기능이 저하된 급성 환자에서는 적합하지 않음. 오히려 표준 영양액을 천천히 도입하며 혈당을 관리하는 방법이 추천됨.

참고문헌

1. Pichard C, Kyle UG, Morabia A, Perrier A, Vermeulen B, Unger P. Nutritional assessment: lean body mass depletion at hospital admission is associated with an increased length of stay. Am J Clin Nutr 2004;79:613-618.

2. Casaer MP, Mesotten D, Hermans G, Wouters PJ, Schetz M, Meyfroidt G, Van Cromphaut S, Ingels C, Meersseman P, Muller J, Vlasselaers D, Debaveye Y, Desmet L, Dubois J, Van Assche A, Vanderheyden S, Wilmer A, Van den Berghe G. Early versus late parenteral nutrition in critically ill adults. N Engl J Med 2011;365:506-517.

3. Gossner L, Keymling J, Hahn EG, Ell C. Antibiotic prophylaxis in percutaneous endoscopic gastrostomy (PEG): a prospective randomized clinical trial. Endoscopy 1999;31:119-124.

4. Jain NK, Larson DE, Schroeder KW, Burton DD, Cannon KP, Thompson RL, DiMagno EP. Antibiotic prophylaxis for percutaneous endoscopic gastrostomy. A prospective, randomized, double-blind clinical trial. Ann Intern Med 1987;107:824-828.

5. Akkersdijk WL, van Bergeijk JD, van Egmond T, Mulder CJ, van Berge Henegouwen GP, van der Werken C, van Erpecum

KJ. Percutaneous endoscopic gastrostomy (PEG): comparison of push and pull methods and evaluation of antibiotic prophylaxis. Endoscopy 1995;27:313-316.

6. Kirby DF, Craig RM, Tsang TK, Plotnick BH. Percutaneous endoscopic gastrostomies: a prospective evaluation and review of the literature. J Parenter Enteral Nutr 1986;10:155-159.

7. Carmona-Sanchez R, Navarro-Cano G. Percutaneous endoscopic gastrostomy. Is it safe to start eating immediately? Rev Gastroenterol Mex 2002;67:6-10.

8. Edes TE, Walk BE, Austin JL. Diarrhea in tube-fed patients: feeding formula not necessarily the cause. Am J Med 1990;88:91-93.

9. Eisenberg PG. Causes of diarrhea in tube-fed patients: a comprehensive approach to diagnosis and management. Nutr Clin Pract 1993;8:119-123.

10. Spapen H, Diltoer M, Van Malderen C, Opdenacker G, Suys E, Huyghens L. Soluble fiber reduces the incidence of diarrhea in septic patients receiving total enteral nutrition: a prospective, double-blind, randomized, and controlled trial. Clin Nutr 2001;20:301-305.

11. Rushdi TA, Pichard C, Khater YH. Control of diarrhea by fiber-enriched diet in ICU patients on enteral nutrition:

a prospective randomized controlled trial. Clin Nutr 2004;23:1344-1352.

12. McClave SA, Chang WK. Feeding the hypotensive patient: does enteral feeding precipitate or protect against ischemic bowel? Nutr Clin Pract 2003;18:279-284.

13. Fearon KC, Von Meyenfeldt MF, Moses AG, Van Geenen R, Roy A, Gouma DJ, Giacosa A, Van Gossum A, Bauer J, Barber MD, Aaronson NK, Voss AC, Tisdale MJ. Effect of a protein and energy dense N-3 fatty acid enriched oral supplement on loss of weight and lean tissue in cancer cachexia: a randomised double blind trial. Gut 2003;52:1479-1486.

14. Jatoi A, Rowland K, Loprinzi CL, Sloan JA, Dakhil SR, MacDonald N, Gagnon B, Novotny PJ, Mailliard JA, Bushey TI, Nair S, Christensen B, North Central Cancer Treatment G. An eicosapentaenoic acid supplement versus megestrol acetate versus both for patients with cancer-associated wasting: a North Central Cancer Treatment Group and National Cancer Institute of Canada collaborative effort. J Clin Oncol 2004;22:2469-2476.

15. Montejo JC, Zarazaga A, Lopez-Martinez J, Urrutia G, Roque M, Blesa AL, Celaya S, Conejero R, Galban C, Garcia de Lorenzo A, Grau T, Mesejo A, Ortiz-Leyba C, Planas M,

Ordonez J, Jimenez FJ, Spanish Society of Intensive Care M, Coronary U. Immunonutrition in the intensive care unit. A systematic review and consensus statement. Clin Nutr 2003;22:221-233.

16. Heyland DK, Dhaliwal R, Drover JW, Gramlich L, Dodek P, Canadian Critical Care Clinical Practice Guidelines C. Canadian clinical practice guidelines for nutrition support in mechanically ventilated, critically ill adult patients. J Parenter Enteral Nutr 2003;27:355-373.

17. Macfie J. European round table: the use of immunonutrients in the critically ill. Clin Nutr 2004;23:1426-1429.

18. Kieft H, Roos AN, van Drunen JD, Bindels AJ, Bindels JG, Hofman Z. Clinical outcome of immunonutrition in a heterogeneous intensive care population. Intensive Care Med 2005;31:524-532.

19. Heyland D, Dhaliwal R. Immunonutrition in the critically ill: from old approaches to new paradigms. Intensive Care Med 2005;31:501-503.

20. Leon-Sanz M, Garcia-Luna PP, Sanz-Paris A, Gomez-Candela C, Casimiro C, Chamorro J, Pereira-Cunill JL, Martin-Palmero A, Trallero R, Martinez J, Ordonez FJ, Garcia-Peris P, Camarero E, Gomez-Enterria P, Cabrerizo L, Perez-de-la-

Cruz A, Sanchez C, Garcia-de-Lorenzo A, Rodriguez N, Usan L, Abbott S-SCG. Glycemic and lipid control in hospitalized type 2 diabetic patients: evaluation of 2 enteral nutrition formulas (low carbohydrate-high monounsaturated fat vs high carbohydrate). J Parenter Enteral Nutr 2005;29:21-29.

21. Mesejo A, Acosta JA, Ortega C, Vila J, Fernandez M, Ferreres J, Sanchis JC, Lopez F. Comparison of a high-protein disease-specific enteral formula with a high-protein enteral formula in hyperglycemic critically ill patients. Clin Nutr 2003;22:295-305.

22. Charney P, Hertzler SR. Management of blood glucose and diabetes in the critically ill patient receiving enteral feeding. Nutr Clin Pract 2004;19:129-136.

23. Fabbri A, Magrini N, Bianchi G, Zoli M, Marchesini G. Overview of randomized clinical trials of oral branched-chain amino acid treatment in chronic hepatic encephalopathy. J Parenter Enteral Nutr 1996;20:159-164.

24. Eriksson LS, Conn HO. Branched-chain amino acids in the management of hepatic encephalopathy: an analysis of variants. Hepatology 1989;10:228-246.

25. Marchesini G, Bianchi G, Merli M, Amodio P, Panella C, Loguercio C, Rossi Fanelli F, Abbiati R, Italian BSG. Nutritional supplementation with branched-chain amino

acids in advanced cirrhosis: a double-blind, randomized trial. Gastroenterology 2003;124:1792-1801.

26. Talpers SS, Romberger DJ, Bunce SB, Pingleton SK. Nutritionally associated increased carbon dioxide production. Excess total calories vs high proportion of carbohydrate calories. Chest 1992;102:551-555.

27. Russell MK, Charney P. Is there a role for specialized enteral nutrition in the intensive care unit? Nutr Clin Pract 2002;17:156-168.

28. Weimann A, Braga M, Harsanyi L, Laviano A, Ljungqvist O, Soeters P, Dgem, Jauch KW, Kemen M, Hiesmayr JM, Horbach T, Kuse ER, Vestweber KH, Espen. ESPEN Guidelines on Enteral Nutrition: Surgery including organ transplantation. Clin Nutr 2006;25:224-244.

29. Arved Weimann, Marco Braga, Franco Carli, Takashi Higashiguchi, Martin Hübner, Stanislaw Klek, Alessandro Laviano, Olle Ljungqvist, Dileep N. Lobo, Robert Martindale, Dan L. Waitzberg, Stephan C. Bischoff, Pierre Singer. ESPEN guideline: Clinical nutrition in surgery. Clinical nutrition 2017;36(3):623-650.

30. Boullata, Joseph I., et al. "ASPEN safe practices for enteral nutrition therapy." Journal of Parenteral and Enteral Nutrition 2017;41(1):15-103.

05

영양지원의 실제 (3)
Parenteral Nutrition

영양지원의 실제 (3)
Parenteral Nutrition

- 정맥 영양(PN)은 6~7일 이내에 경구 섭취가 힘들 것으로 판단되는 환자에서 고려되어야 함.

- PN을 시작하기 전에 수분(hydration) 및 전해질 상태(electrolyte balance)의 불균형이 있으면 반드시 교정해 놓고, PN을 시작.

- 7~14일 이내의 단기 PN 시에는 말초 정맥 영양 공급이 고려될 수 있음.

- PN 중에는 수분-전해질 상태, 산-염기 평형 상태에 대한 지속적이며 체계적인 모니터링이 이루어져야 함.

- 초기 포도당 공급은 최대 150~200 g/day 혹은 15%~20% 농도까지 가능함. 말초 혈당이 180 mg/dl이 넘지 않도록 모니터링해야 함.

- 혈중 중성 지방 수치(triglyceride) 농도가 <200 mg/dl이면 I.V. 지방유제를 투여할 수 있음. 혈중 중성 지방 수치가 400 mg/dl가 넘지 않도록 모니터링해야 함.

- PN을 위한 말초 정맥 카테터는 보통 72~96시간마다 교체하고, 혈전 정맥염이나 침윤이 생기면 바로 제거.

- 1년 이상의 장기간 PN의 사용은 대사성 골질환과 연관이 있을 수 있음.

- Refeeding syndrome과 연관된 위험인자로는 알코올 중독, 신경성 식욕부진, 소모증, 빠른 영양 재개, 과도한 포도당 주입 등이 있음.

- 경정맥에서 완전 경구 투여로 이행하는데 있어 가장 중요한 지표는 병상 (bedside) 경구 섭취량 확인(I/O check)임.
- 이행단계에서 가장 빈번하게 발생하는 합병증은 갑작스런 PN 섭취량 감소에 따른 저혈당증임.

1 정맥영양의 적응증과 금기증

1) 적응증

(1) 영양 지원이 필요한 환자로서 경구 영양 공급으로 요구량을 충족하지 못하거나, 경장 영양 공급이 불가능한 경우.

(2) 일차적 치료(primary therapy): 크론병, 위장관경피루, 신부전 (급성세뇨관괴사), 단장 증후군, 급성 화상, 간부전(간경화에 동반된 급성 간부전).

(3) 보조적 치료(supportive therapy): 급성방사선장염, 급성항암 화학치료독성, 지속적 장마비, 대수술 전 체중감소.

2) 금기증

(1) 정맥영양(이하 PN) 사용의 예상기간이 7일 이내인 경우.

(2) 혈역동학적(hemodynamically)으로 불안정한 환자.

(3) 위장관기능이 정상이고, 영양소의 충분한 흡수가 가능한

환자.

(4) 환자나 법적 대리인이 적극적인 영양치료를 거부하는 경우.

2 정맥 영양의 준비(Preparation) 및 초기 공급(Initiation of parenteral nutrition) 시 일반적 주의 사항

① 개인별(individualized) 맞춤 PN 공급이 수분 상태, 전해질 균형에 도움이 될 수도 있으나, PN의 궁극의 목적인 영양 공급을 최고 효율적으로 하기 위해서는 수분(hydration) 및 전해질 상태(electrolyte balance)를 최적화 해 놓고 시작하는 것이 권고됨. 예를 들어 탈수 상태에 있는 환자는 충분한 수분 공급을 한 후 PN의 시작을 고려해야 함.

② PN제재는 삼투압이 상대적으로 높기 때문에, 정맥 영양의 투여 경로(route)로는 중심 정맥이 선호됨. 중심 정맥을 이용할 수 없는 경우에는 말초 정맥을 통한 영양 공급을 고려할 수 있음. 그러나 소아 환자에서는 말초 정맥 영양을 우선적으로 고려할 수 있음.

③ 중심 정맥을 이용한 PN을 시작하기 전, 중심 정맥 관(central venous catheter)의 끝(tip) 부위가 상대 정맥 내에 위

치해 있는지 확인해야 함.

④ 수액 공급의 제한이 필요한 환자(예, 신부전, 간부전 환자)에서는, 필요로 되는 단백질과 포도당을 허용되는 범위 내에서 추가로 농축하여 PN을 시행할 수 있음.

⑤ 말초정맥을 이용한 영양 공급은 중심 정맥 영양 경로에 비해 포도당 농도와 삼투압이 적음. 그러므로 말초정맥 영양 공급경로를 이용하는 경우에는 중심 정맥에 비해 보다 더 많은 양의 수액 공급이 가능함.

⑥ PN 초기 공급량은 해당 환자가 소화할 수 있는 다량영양소(macronutrient)와 수분 양에 의해 산출되어어야 됨.

3 투여 경로에 따른 정맥영양

1) 중심 정맥을 통한 영양 공급(Central parenteral nutrition, CPN)

고농축의 정맥 영양제제가 투여 가능하므로, 적은 수액으로 충분한 영양지원이 가능함.

(1) 7~14일 이상의 장기적인 PN을 고려할 때 권장됨.

(2) 넙다리 정맥(femoral vein)을 통한 PN은 정맥 혈전증(venous thrombosis)과 카테터 감염에 의한 패혈증(sepsis)의 위험성이 높음. 따라서 넙다리 정맥을 통한 PN 다른 삽입 경로가 모두 적합하지 않은 경우에 대안책으로 고려될 수 있음.

⑶ 삽입 부위에 상관없이 카테터의 끝이 상대정맥(Inferior vena cava, IVC)이나, 상대정맥과 우심방의 연결부위에 위치하는 관의 일종으로 턴넬형, 비턴넬형, 삽입형 포트, 말초삽입형 중심 정맥관이 있음.

⑷ 900 mOsm/L 이상, 포도당 10% 이상의 고농도 영양액을 공급할 때도 CPN이 선호됨.

⑸ CPN은 말초정맥영양에 비하여 다음과 같은 단점을 가질 수 있음.

  - 투여 경로 확보 과정 중 합병증 발생이 가능함(예, 혈흉, 기흉, 혈종).
  - 경제적 추가 비용 부담이 있음.
  - 투여 경로 관리에 따른 의료진의 업무 부담이 증가함.

2) 말초정맥영양을 통한 영양 공급(Peripheral parenteral nutrition, PPN)

⑴ 적응증

  - 중심정맥을 사용하는 것이 불가능할 때.
  - 7~14일 이내 단기 PN이 예상될 때.
  - 카테터 패혈증이 있을 때.

⑵ 일반적인 말초정맥영양 제제의 삼투압은 최대한 900 mOsm/L까지 가능함. 따라서 전해질의 추가 사용이 고려될 때는 CPN에 비해 보다 깊은 주의를 요함.

⑶ PPN은 중심 정맥 경로에 비해 포도당 농도와 삼투압이 적

음. 그러므로 말초정맥영양 공급경로를 이용하는 경우에는 중심 정맥에 비해 보다 더 많은 양의 수액 공급이 가능함.

(4) 중심 정맥 PN에 비하여 말초 정맥염의 발생 가능성이 높기 때문에, 카테터 삽입 부위에 대한 지속적인 관찰이 필요함.

(5) T-connector로 말초정맥에 연결되어야 하고 지방은 별도로 투여하거나, piggy-bag 방식으로 투약함.

(6) PPN에는 절대로 다른 약을 첨가해서는 안되고, 항생제 전해질을 첨가할 때는 다른 경로를 사용하기를 권장함.

4 정맥 영양 영양소의 구성 및 처방

1) 영양소의 구성

(1) 일반적 성인에서 요구되는 영양 성분은 표 1과 같이 요약됨.

(2) 단백질: 필수 아미노산과 비 필수 아미노산이 혼합되어 있

표 1. 일반적 성인에서 요구되는 영양 성분

	중환자(critical patient)	안정적 환자(stable patient)
단백질(protein)	1.2~1.5 g/kg/d	0.8~1.0 g/kg/d
탄수화물(carbohydrate)	Not>4 mg/kg/min	Not>7 mg/kg/min
지방(lipid)	1 g/kg/d	1 g/kg/d
총 칼로리(total calories)	25~30 kcal/kg/d	30~35 kcal/kg/d
수액량(fluid)	Minimum needed to deliver adequate macronutrients	30~40 mL/kg/d

어야 함.

단백질 투여는 대사성 문제에 미치는 영향이 상대적으로 적으므로, 초기 단백질 공급은 60~70 g/L까지 가능함.

(3) 탄수화물: 정맥영양지원에서 1차 영양원으로 사용되는 구성성분으로 환자의 열량요구량, 산화속도, 지방과 포도당의 비율을 고려하여 정맥영양제제에 포함되는 포도당 양을 결정함. 초기 포도당 공급은 최대 150~200 g/day 혹은 15%~20% 농도까지 가능함. 당뇨환자나 스트레스로 인해 고혈당을 보이는 경우에는 100~150g/day 또는 10~15% 농도의 용액으로 조절이 필요함. 말초 혈당이 180 mg/dl이 넘지 않는 범위 내에서 추가 포도당 공급이 가능함.

(4) 지방: 유제의 형태로 공급가능하며 필수지방산 공급원과 열량원으로 사용함. 유화제와 등장화제를 포함하고 있어 지방유제의 경우 ml당 kcal로 계산함(예; 10% LCT 제제: 1 kcal/ml, 20% 제제: 2 kcal/ml). MCT (medium chain triglyceride)/ LCT (long chain triglyceride) 제제의 경우, LCT 보다 빠르게 산화되는 장점을 가진 MCT를 포함한 제제임. 마찬가지로 ml당 kcal로 계산함. 혈중 중성 지방 수치가 400 mg/dl가 넘지 않는 범위 내에서 추가 지방의 공급이 가능함.

(5) 물: 단독으로 정맥 투여되지는 않으며, 수분 공급량을 충족시키거나 삼투압 조정을 위해 스페셜 TPN 제제 조제 시 사용됨. 멸균 증류수를 주로 사용함.

(6) 전해질: 전해질 균형을 위해 정맥영양제제에 혼합함. 안정
  적이며 전해질 조성의 개별화가 필요하지 않은 환자의 경우
  일반적인 조성을 사용할 수 있으나, 다양한 질환 상태에 따
  라 전해질 균형은 달라질 수 있으므로 그 경우 각 환자에 따

표 2. 일반적 성인에서 요구되는 전해질 성분

전해질 성분	일일 표준 권장량	증량이 필요한 경우	투여 형태
Calcium	10~15 mEq	High protein intake	Ca gluconate
Magnesium	8~20 mEq	GI losses, drugs, refeeding	Mg sulfate
Phosphorus	20~40 mmol	High dextrose loads, refeeding	Na phosphate, K phosphate
Potassium	1~2 mEq/kg	Diarrhea, vomiting, NG suction	K phosphate, K acetate, K chloride
Sodium	1~2 mEq/kg	Nephritis, adrenal insufficiency, heart failure, (SIADH), ascites	Na phosphate, Na chloride, Na acetate, Na lactate

표 3. 일반적 성인에서 요구되는 미량원소 및 비타민

비타민	일일 권장량
Vitamin A	3,300 IU
Vitamin D	200 IU
Vitamin E	10 IU
Vitamin K	150 mcg
Thiamine (B1)	6 mg
Pyridoxine (B6)	6 mg
Cyanocobalamin (B12)	5 mcg
Pantothenic acid	15 mg
Biotin	60 mcg
Ascorbic acid	200 mg
Folic acid	600 mcg
Niacin	40 mg
Riboflavin	3.6 mg

른 개별화된 조성이 필요할 수 있음. 일반적 성인에서 요구되는 전해질 성분은 표 2와 같이 요약됨.

(7) 미량원소: 일반적인 권장량에 준해 정맥영양제제에 혼합함. 미량원소의 종류로는 chromium, copper, iodine, iron, manganese, molybdenum, selenium, zinc가 있음. 상용화되고 있는 정맥용 종합미량원소 제제를 사용할 수도 있음. 정맥 단일 미량원소 제제로는 copper, zinc, selenium, iron이 있음.

(8) 비타민: 정맥영양제제에 비타민은 일반적인 권장량에 준해 고정된 양을 투여함. 단, 비타민 결핍이 있거나, 기저 질환상 고려점이 있는 경우에는 개별화가 필요할 수 있음. 정맥영양제제에 혼합한 경우, 안정성 문제로 24시간 내에 사용하도록 함. 일반적 성인에서 요구되는 미량원소 및 비타민은 표 3과 같이 요약됨.

2) 정맥영양제제의 형태 및 조성비교

제조 형태에 따라 2 in 1 제제와 3 in 1 제제로 나뉨(표 4).

표 4. 2 in 1 제제와 3 in 1 제제 비교

	2 in 1	3 in 1
단백질(protein)	포함	포함
탄수화물 (carbohydrate)	포함	포함
지방(lipid)	불포함	포함
주의 사항	지방을 포함하고 있지 않아 지방 유제의 개별적 공급이 필요.	지방이 포함되어 있어, 상대적으로 삼투압이 낮다.

표 5-1. 정맥영양 제제의 조성 비교(말초정맥용)

투여경로	말초정맥용					
상품명	스모프카 비벤페리		위너프페리		페리올리멜	뉴트리플렉스 리피드페리
총 부피(ml)	1,448	1,904	1,450	2,020	1,500	1,250
총 열량(kcal)	1,000	1,300	1,000	1,400	1,050	955
Non-protein calories/N	108	112	112	112	150	139
Glucose(g)	103	135	113	157	113	80
Amino acids(g)	46	60	46	64	38	40
Lipid(g)	41	54	41	57	45	50
Lipid source(%)	fish/olive/ coconut/ soybean 15/25/30/30		fish/olive/ coconut/ soybean 20/25/25/30		olive/ soybean 80/20	coconut/ soybean 50/50
Na(mmol)	36	48	36.4	50.6	31.5	50
K(mmol)	28	36	27.7	38.6	24	30
Mg(mmol)	4.6	6	4.56	6.34	3.3	3
Ca(mmol)	2.3	3	2.27	3.16	3	3
P(mmol)	11.9	15.6	12	16.7	12.7	7.5
Zinc(mmol)	0.036	0.048	0.04	0.05		
Chloride (mmol)	32	42			37	48
Acetate (mmol)	96	125			41	40

표 5-2. 정맥영양 제제의 조성 비교(중심정맥용)

투여경로	중심정맥용					
상품명	스모프카비벤		위너프		올리멜	뉴트리플렉스 리피드플러스
총 부피(ml)	1,477	1,970	1,435	1,820	1,500	1,250
총 열량(kcal)	1,600	2,200	1,600	2,000	1,600	1,265
Non-protein calories/N	108	113	111	111	93	186
Glucose(g)	187	250	200	254	165	150
Amino acids(g)	75	100	73	92	85	48
Lipid(g)	56	75	55	69	60	50
Lipid source(%)	fish/olive/ coconut/ soybean 15/25/30/30		fish/olive/ coconut/ soybean 20/25/25/30		olive/ soybean 80/20	coconut/ soybean 50/50
Na(mmol)	60	80	58	73.6	52.5	50
K(mmol)	45	60	44.3	56.1	45	30
Mg(mmol)	7.5	10	7.3	9.2	6	4
Ca(mmol)	3.8	5	3.6	4.6	5.3	4
P(mmol)	19	25	18.3	23.2	22.5	15
Zinc(mmol)	0.06	0.08	0.06	0.07		
Chloride(mmol)	52	70			68	45
Acetate(mmol)	157	209			80	40

5 정맥 영양 투여 중 주의 사항

(1) PN 시행 중에 in-line filter를 사용하면 미립자 항원 (particulate antigen), 미량 침전물(microprecipitate), 병원성 미생물(pyrogens) 공기 색전증(air embolism) 등의 침투를 방지할 수 있음. In-line filter의 사용 원칙은 아래와 같음.

① 지방 유제가 포함되지 않은 PN제재를 사용할 때는 0.22-micron filter의 사용이 권장됨.

② 지방 유제가 포함된 TNA (total nutrient admixtures)를 사용할 때는 1.2-micron filter가 권장됨.

③ PN 중 filter가 폐쇄되면 교체를 고려해야 함.

2014 ASPEN Clinical guidelines

1) 최대 삼투압 900 mOsm/L까지는 말초정맥을 통한 PN을 안전하게 시행할 수 있음(weak)

2) 2 in 1 제제와 3 in 1 제제의 감염성 합병증 발생에는 임상적 차이가 없음 (weak)

3) 가정 간호 환경에서 투여되는 3-in-1 제제는 카테터 폐색의 위험을 증가시키고 카테터 수명을 단축시킬 수 있음(weak)

4) 배합 효율, 투여 중 오염 위험 감소 및 잠재적 비용 절감과 관련하여 3-in-1 제제를 선택하나 더 큰 사이즈의 필터(1.2-micron filter)가 필요하고 0.22-micron filter필터를 사용할 수 없으므로 더 많은 입자가 제거됨 (weak)

⑵ PN 주입 세트(administration set)는 아래와 같은 원칙 하에 교체됨.

　① 무균 기술(aseptic technique)로 교체함.

　② TNA 제재를 위한 세트는 24시간마다 교체함. 감염이 의심된다면 즉각 교체해야 함.

　③ 지방 유제가 없는 세트는 72시간마다 교체가 권고됨.

　④ 독립적으로 주입 세트는 최소 12시간마다 교체가 권장됨.

⑶ PN은 일정하게 주입량을 조절할 수 있으며, 신뢰성 있는 경고 장치(audible alarms)가 부착된 주입 펌프(infusion pump)를 통해 공급되어야 함.

⑷ 한 번 시작한 PN 세트는 주입 시작부터 24시간 내에 종료되어야 함.

⑸ 지방 유제(intravenous fat emulsion)를 독립적으로 투여하는 경우, 지방 유제 세트는 주입 시작으로부터 12시간 내에 모두 사용하는 것을 원칙으로 함.

⑹ 각 PN 제재들은 투여 전에 반드시 시각적으로 문제가 없는지 확인해야 함. PN 제재 내에 색깔의 변화 또는 침전물이 보이는 경우에는 그 PN 제재를 사용해서는 안 됨.

⑺ PN 제재 사용하고자 할 때 냉장 보관된 제품을 미리 꺼내서 실온 상태에서 30분에서 60분 정도 온도 조절 시간을 가진 후 사용함.

6 모니터링

(1) PN관련된 심각한 합병증과 그와 관련된 비용 발생을 최소화 하기 위해서는 임상의사의 모니터링이 필요함.

(2) 초기 PN 공급량이 결정되면 이후의 정맥 영양 공급량의 결정은 여러 영양-특이 지표(specific marker)에 따라 조절되어야 함. 일반적으로 사용되는 영양 지표는 아래와 같음.

　① 적정 체중 유지(moving toward goal weight)

　② 체내 저장 단백질의 보급(replenishment of protein store)

　③ 혈중 생화학적 검사의 정상화(normalization of clinical laboratory values)

　④ 합병증 및 사망률의 감소(reduction in morbidity/mortality)

　⑤ 삶의 질향상(improvement in quality of life)

(3) PN 중에는 수분-전해질 상태, 산-염기 평형 상태에 대한 모니터링이 이루어져야 함.

　① 수액 공급에 제한이 있는 환자에서는 농축된 PN의 사용이 권장됨.

　② PN 내의 전해질 성분은 환자의 임상 상황, 신장 등 기관의 상태, 투약 중인 약 등에 따라 조절되어야 함.

　③ 대상성 합병증에 따른 산-염기 불균형은 염화물(chloride)

또는 아세트산 염(acetate)으로 교정함.

④ 호흡기 관련 산-염기 불균형은 기저 질환의 치료 또는 환기기(ventilator)의 조절에 의해 교정 가능함.

⑷ PN을 공급 받는 모든 환자는 반드시 혈중 포도당 수치를 모니터링 해야함.

⑸ 내장 단백질 수치(혈중 albumin, 트랜스패린)는 상대적으로 매우 긴 반감기를 가질 뿐 아니라 체내 저장량(body pool)이 많음. 따라서 내당 단백질 수치를 PN 중 단백질 성분 공급의 적절성을 모니터링하기 위해 사용하는 것은 옳지 않음. 단, 영양 공급의 성패의 예후인자로서는 사용될 수 있음.

⑹ 전해질 및 단백질 수치를 포함한 여러 혈청 생화학학(serum chemistry) 검사는 PN을 시작하는 시기와 PN 양을 줄이거나 중단을 시도하는 단계에서 보다 자주 시행하기를 권장함.

⑺ PN을 공급 받는 환자는 질환 경과에 따라 임상 상태와 신체 활동 정도가 변화됨. 따라서 영양 공급자는 정기적으로 PN 의 필요량을 재산출해야함.

⑻ 일반적인 모니터링 지침은 표 6과 같이 요약됨.

표 6. PN에서의 일반적인 모니터링 지침

측정 지표	기초 검사 (baseline)	중환자(critically ill patients)	안정적 환자 (stable patient)
Chemistry screen (Ca, Mg, LFTs, P)	시행	주 2~3회 시행	주 1회 시행
Electrolytes, BUN, creatinine	시행	매일 시행	주 1~2회 시행
Serum triglycerides	시행	주 1회 시행	주 1회 시행
CBC with differential	시행	주 1회 시행	주 1회 시행
PT, PTT	시행	주 1회 시행	주 1회 시행
Capillary glucose	3회/일	3회/일(혈중 당 수치 <200 mg/dl일 때까지)	3회/일(혈중 당 수치 <200 mg/dl일 때까지)
Weight	가능하면 시행	매일 시행	주 2~3회 시행
Intake and output		매일 시행	매일 시행
Nitrogen balance	필요에 따라 시행	필요에 따라 시행	필요에 따라 시행
Indirect calorimetry	필요에 따라 시행	필요에 따라 시행	필요에 따라 시행

7 합병증 관리

1) 말초 정맥용 카테터(catheter) 관련 합병증

(1) 감염 방지를 위해 성인 PPN의 경우 72~96시간마다 주입 세트 교체를 원칙으로 함. 그러나 소아의 경우에는 감염 징후가 없는 경우 반드시 72시간마다 교체할 필요는 없음.

(2) 말초 정맥 경로를 감염 없이 보호하기 위해서는 거즈 드레싱 또는 반투막성 우레탄 드레싱이 추천됨.

(3) 카테터가 제거되거나 교체될 때마다 새로운 드레싱이 필요함.

⑷ 정맥염 방지를 위해 2-in-1 PN제재에는 하이드로코르티
손(hydrocortisone) 또는 헤파린이 첨가되어야 함.

2) 중심 정맥관 카테터 관련 합병증 관리

⑴ PN을 시작하기 전에 영상의학적으로 중심정맥관의 말단부
가 상대정맥(superior vena cava)에 위치하는지 확인함.

⑵ 카테터 폐색

- 혈전 폐색: 카테터의 용적(volume) 내의 혈전 용해제를 주
  입하여 치료함. 쇄골하 정맥 혈전이 발생한 경우에는 경
  정맥 확장, 이환된 쪽의 상완부(ipsilateral arm) 통증, 흉부
  정맥의 확장 등이 관찰됨. 쇄골하 정맥 혈전이 의심되는
  경우 카테터 제거, 이환된 상완부 거상(elevation), 카테터
  를 통한(catheter-directed) 혈전 용해제 주입, 전신성 혈전
  용해제 주입 등을 시행하여 치료함.

- 비혈전 폐색: 주로 관내(intraluminal) 투약 침전물(drug
  precipitates)에 의해 발생함. Calcium phophate 등에 의한
  침전은 0.1N hydrochloric acid 세척액을 통해 재관류 시
  킴. 지방 유제의 의한 폐색은 70% ethanol-in-water 용액
  을 세척시켜 관리함.

- 기계적 폐색: 카테터 위치 이상, 주입 클램프 이상, 엉
  킨 카테터, 봉합부분 협착 등의 원인을 우선 확인함. 빗
  장뼈와 첫 번째 늑골 사이에 카테터가 끼이면서 발생하

는 "Pinch-off syndrome"도 기계적 폐색의 원인이 됨. "Pinch-off syndrome"은 환자의 카테터가 위치한 쪽의 상완부를 거상하는 체위 변경으로 치료 가능함. 만일 반복적인 폐색으로 혈전 등의 합병증이 발생한다면 카테터를 제거해야 함.

3) 감염 관련 합병증

(1) 감염 방지를 위한 일상적(routine) 카테터 교체는 권장되지 않음.

(2) 모든 카테터 관리는 반드시 무균 기술(aseptic technique) 원칙에 입각하여 모든 시술을 시행해야 함.

(3) 감염의 명백한 징후가 없는 상황에서 발열만으로 카테터를 제거하는 것은 권장되지 않음. 단 가이드와이어를 이용한 교체는 고려될 수 있음.

(4) 만일 multilumen 카테터를 사용해야 한다면, 반드시 한 포트(port)는 PN 주입만을 위해 사용되어져야 함.

(5) 감염 예방을 위한 감염 방지 용액(antibiotic lock solution)의 일상적 사용은 권장되지 않음.

(6) 카테터 설치 및 드레싱 교환 시에는 2% cholrhexidine을 이용한 처치가 권장됨(단 2개월이 안된 소아에서는 금기). 감염 방지를 위한 국소 항생제 연고는 항생제 내성과 진균 감염의 위험이 있으므로 권장되지 않음.

(7) 거즈 드레싱의 경우 2일 주기로, 투명 반투막 드레싱(transparent and semipermeable)의 경우 1주 마다 드레싱 교환을 시행함.

(8) 모든 주입관 세트(injection port)는 사용되기 전 70% 알코올로 소독하는 것이 권장됨.

(9) 중심정맥카테터 관련 감염의 진료 가이드라인(그림 1).

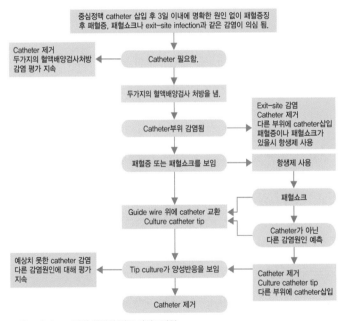

그림 1. Catheter 관련 감염의 진료 가이드라인

4) 장관 관련 합병증(GI tract)

정상적 장 내막의 비사용(disuse)은 장관내 융모(villous atrophy)를 일으켜 세균 전위(bacterial translocation)를 조장할 수 있음. 아직까지 이런 세균 전위를 예방할 수 있는 경구 섭취에 대한 가이드라인은 정립되어 있지 못함.

5) 간 담췌 관련 합병증

(1) 정맥 영양을 시작한 후 2주 정도의 시간이 경과되면 아미노전이효소(transaminase)와 알칼리성 포스파타제(alkaline phosphatase)의 혈중 농도가 증가하게 됨. 반면 임상적 징후가 있는 황달은 대부분의 환자에서 보이지 않음.

(2) 증가된 혈중 간 효소 농도는 자연적으로 정상화 되는 경우가 있음. 일반적으로 PN 영양이 중지되면 간 효소 농도는 대부분 정상화 됨.

(3) 간-담췌 관련 합병증을 줄이는 방법으로는 전체 영양분 중 1/3을 지방 유제의 정맥 투여(IVFE)로 처방하는 것, 하루에 8~10시간 정도 경정맥 영양 공급을 중단하여 휴식기를 가지는 것, 가능한 한 빨리 경장 영양을 시작하여 담즙 순환을 유도하는 것 등이 있음.

(4) 담즙 울체(cholestatic complication)와 관련된 합병증은 성인보다 소아 환자에서 문제가 됨. 장기적으로 PN을 받는 소아 환자에서 담즙 울체 관련 합병증의 유병률은 30~60% 정도

이며 때로는 심각한 장기적 합병증(life-threatening long-term complication)으로 발전할 수 있음.

- 담즙 울체는 반복적인 패혈증 및 감염, 경구 섭취 지연, 포도당 과다 투여, 주입되는 아미노산 성분 변화, 미숙아, 저체중 출산아, 짧은 창자 증후군, 리토콜산의 증가 등과 연관이 있는 것으로 알려져 있음.

- 지속적으로 높게 측정되는 결합빌리루빈 또는 알칼리성 포스파타제 혈중 수치는 담즙 울체 합병증 발생의 중요한 경고 신호임. 즉 이런 상황에서는 경정맥 영양의 구성 성분 및 주입 속도 등을 재검토하고 임상 상황이 허락한다면 가급적 경구 영양을 함께 시행하는 것이 권고됨.

6) 대사성 합병증(Metabolic complication)

(1) 장기적인 경정맥 영양은 성인에서도 대사성 골 질환을 유발할 수 있음.

(2) 영양 재개 증후군(refeeding syndrome)

- 장기간 금식 후 경구 식이를 시작한 환자에게서 보이는 수액, 전해질, 비타민, 미량 영양소의 불균형 상태를 지칭함.

- 용혈성 빈혈, 호흡 곤란증, 이상 감각증, 강축(tetany), 부정맥 등의 임상 징후를 보임.

- 위험 요소로는 알코올 중독, 신경성 식욕 부진, 소모증(marasmus), 급작스런 영양 재개, 과도한 포도당 주입 등이

있음.

- 전해질 검사에서 저인산혈증, 저마그네슘혈증, 저칼륨혈증 소견을 보임.

- 예방책으로는 PN 시작 전에 충분히 칼륨, 마그네슘, 인산 등을 보충하는 것, 초기 포도당 주입량을 150 g/day로 제한하는 것, 초기 PN에 충분한 칼륨, 마그네슘, 인산 및 비타민을 함유시키는 것, PN이 진행함에 따라 증가된 포도당 양에 비례하여 미네랄 양을 늘리는 것 등이 있음.

(3) 포도당 관련 합병증(표6)

- PN 중의 혈중 포도당 조절을 위한 첨가물로는 레귤라 인슐린(regular human insulin) 사용을 원칙으로 함. NPH 인슐린, 지연성 또는 초지연성 인슐린, glargine 인슐린 등은 모두 PN의 첨가물로는 부적합함.

표 7. 고혈당 및 저혈당 관련 치료 지침

	고혈당 합병증	저혈당 합병증
위험 요소	대사성 스트레스(예: 패혈증), 미숙아(Preterm neonate), 당뇨 환자, 비만 및 고혈당 관련 약물 복용 병력.	미숙아(preterm neonate), 갑작스런 PN의 중지.
예방책	6시간마다 혈당을 확인함. 초기 PN의 포도당 투여량을 <4 mg/kg/minute으로 고정.	PN을 2시간 이상에 걸쳐 점차적으로 끊어 주어야 함(tapering).
기타 주의 사항	1 gram 포도당에 0.3 unit의 인슐린을 첨가하여도 조절 안 되는 고혈당증은 분리된 인슐린 주입 세트(pump)를 통해 치료함.	PN이 끝난 후 15~60분 이내가 가장 저혈당이 잘 발생하는 시점임.

- PN을 구성할 때는 1 gram 포도당에 0.1 unit의 인슐린을 첨가하는 것을 원칙으로 함. 만일 환자의 초기 혈당이 300 mg/dl가 넘는다면, 혈당을 180 mg/dl로 조절한 후 PN을 시작하도록 함.
- 이전 24시간 동안 측정한 혈당이 지속적으로 180 mg/dl 이하가 아니라면 추가적인 포도당 투여는 주의를 요함.

(4) 고지혈증(Hyperlipidemia)

- Triglyceride (TG) 농도가 <200 mg/dl이면 IVFE를 투여할 수 있음.
- TG 농도가 IVFE 시작 후 ≥50 mg/dl 오르면 일시적으로 투여를 중단하거나, 주입속도를 줄임.
- TG 농도가 400 mg/dl 초과 시 IVFE를 필수지방산 공급 정도로 제한함(예. 20% I.V. 유제 250 ml을 주 1회 또는 2회 사용).
- TG 농도가 500 mg/dl 초과시 I.V. 유제를 보류해야 함. 이런 경우 콩 또는 홍화씨 오일(safflower) 등을 국소 도포함으로써 지방 성분을 보충할 수 있음.

7) 수분 및 전해질 관련 합병증(fluid and electrolyte)

(1) 저나트륨혈증: 가장 많이 발생하는 전해질 관련 합병증임. 저나트륨혈증은 주로 저장성 용액(hypotonic solution)이 과도하게 주입된 경우 발생함. 이외 신장염, 부신 기능 부전, 심부전, 항이뇨호르몬 분비 이상 증후군(SIADH), 간경화에 따

른 복수 등에 의해서도 발생 가능함. 저나트륨혈증이 심해지면 혼미, 저혈압, 기면증, 발작 등의 증상이 발생할 수 있음. 대부분 수분 제한 및 이뇨제 투여로 치료됨. 때로는 나트륨 성분을 PN에 추가함으로써 증상을 치료할 수도 있음.

(2) 저칼륨혈증: 주로 불충분한 칼륨 투여, 영양재개 증후군, 설사 및 장관액의 손실에 의해 발생함. 고리형 또는 thiazide 계열의 이뇨제, 항진균제, 항생제 사용 등에 의해서도 발생 가능함. 오심, 구토, 섬망, 호흡 부전, 부정맥 및 심정지 등의 합병증이 발생할 수 있음. 일반적인 칼륨 보충제는 매우 고장성 상태로 공급되므로, 말초 정맥이나 경구로 칼륨을 보충할 때는 정맥 손상이나 점막 손상 등에 각별한 주의를 요함.

(3) 기타 수분–전해질 관련 합병증(표 8).

8 경정맥 영양의 이행과 중지

(1) 경구 섭취 또는 경장 영양(EN)은 환자가 정상적인 위장관 기능을 보이면 시작함.

(2) 특별한 경우에는 삼키기 검사(연하검사, swallowing test)가 경구 섭취에 따른 흡인성 합병증 예방에 도움이 될 수 있음.

(3) PN에 의존하는 섭취량을 줄이면서 EN 또는 정상 식이를 늘려가는 시기를 이행 시기라고 정의함. 일반적으로 성인

표 8. 기타 수분-전해질 관련 합병증

	원인	예방 및 치료방안
혈량 과다증	과도한 수분 공급, 신부전, 심부전	수분 제한, 이뇨제, 매일 I/O 모니터링, 수분 상태 균형을 맞춘 후 PN 시작
혈량 저하증	부족한 수분 공급, 과도한 이뇨제 사용	매일 I/O 모니터링, 수분 보충
고나트륨혈증	과도한 유리수(free water) 주입, 수분 손실(예, 열, 화상, 과다환기), 과도한 나트륨 공급	PN 중 나트륨의 성분비를 낮춤
고칼륨혈증	신부전, 대사성 산증, 칼륨 보존과 관련된 투약(예, ACE 길항제)	칼륨 투여 제한, 인슐린과 포도당 수액 공급, 베타 작용제 흡입, 투석
저칼슘혈증	비타민 D 투여 감소, 저알부민 혈증, 부갑상샘 저하증	칼슘 공급
고칼슘혈증	신부전, 종양 용해 증후군, 골육종, 과도한 비타민 D 투여, 지속적인 운동 부족, 부갑상샘기능항진증	등장성 식염수, 코르티코스테로이드, 무기 인산 투여
저마그네슘혈증	알코올 중독, 영양재개 증후군, 이뇨제, 장기간의 경비위 흡인, 당뇨성 케토산증	경구용 마그네슘 섭취
고마그네슘혈증	신부전, 과도한 마그네슘 섭취	마그네슘 섭취 제한, 투석
저인산혈증	영양재개 증후군, 알코올 중독증, 인산 주입 부족	인산 정맥 투여 또는 경구 투여
고인산혈증	신부전, 과도한 인산 투여	경구용 인산 결합체 투여

환자에서는 일반 경구가 가능해지면 바로 PN을 중지하는 것이 권장됨. 반면 소아 환자는 성인 환자에 비해 이행 시기를 보다 장기적으로 잡고 점진적으로 변화를 주어야 함.

① 이행 시기의 PN과 경구 섭취량의 총합은 전체 필요 영양소량의 양에 부합되어야 함.

② PN은 경구 섭취가 총 예상 필요량(90~100 kcal/kg)의 75~80%를 만족시킬 수 있을 때까지 유지해야 함.

(4) 경정맥에서 완전 경구 투여로 이행하는데 있어 가장 중요한 지표는 병상(bedside) 경구 섭취량 확인임(I/O check).

(5) 이행 단계에서 가장 빈번하게 발생하는 합병증은 갑작스런 PN 섭취량 감소에 따른 저혈당증임.

① PN을 멈추는 단계에서는 1~2시간마다 투여량을 절반으로 줄이는 방법(tapering)을 사용하는 것이 저혈당증 예방에 도움이 됨.

② 만일 PN을 즉각적으로 멈추어야 하는 상황이라면, 10% 포도당 용액을 3~4시간에 걸쳐 주는 것이 권장됨. 그러나 이런 방식은 PPN에서는 반드시 필요하지 않음.

③ PN 중지 시에는 30~60분마다 혈당을 검사하는 것이 권장됨. 또한 경구 또는 정맥용 탄수화물을 저혈당증에 대비하여 준비해 놓아야 함.

(6) PN은 입맛에 부정적으로 작용할 수 있음. 만일 전체 영양분 중 25% 이상이 PN으로 공급된다면 입맛의 감소가 경구 섭취량에 영향을 줄 수 있음.

참고문헌

1. Meier R, Beglinger C, Layer P, et al. ESPEN guidelines on nutrition in acute pancreatitis. European Society of Parenteral and Enteral Nutrition. Clin Nutr. Apr 2002;21(2):173-183.

2. McMahon M, Manji N, Driscoll DF, Bistrian BR. Parenteral nutrition in patients with diabetes mellitus: theoretical and practical considerations. JPEN J Parenter Enteral Nutr. Sep-Oct 1989;13(5):545-553.

3. Kalhan SC, Kilic I. Carbohydrate as nutrient in the infant and child: range of acceptable intake. Eur J Clin Nutr. Apr 1999;53 Suppl 1:S94-100.

4. Bethune K, Allwood M, Grainger C, Wormleighton C. Use of filters during the preparation and administration of parenteral nutrition: position paper and guidelines prepared by a British pharmaceutical nutrition group working party. Nutrition. May 2001;17(5):403-408.

5. Infusion Nursing Standards of Practice. J Infus Nurs. Jan-Feb 2006; 29(1 Suppl):S1-92.

6. Nehme AE. Nutritional support of the hospitalized patient. The team concept. JAMA. May 16 1980;243(19):1906-1908.

7. Kerr TM, Lutter KS, Moeller DM, et al. Upper extremity

venous thrombosis diagnosed by duplex scanning. Am J Surg. Aug 1990;160(2):202-206.

8.   Pennington CR, Pithie AD. Ethanol lock in the management of catheter occlusion. JPEN J Parenter Enteral Nutr. Sep-Oct 1987;11(5):507-508.

9.   ter Borg F, Timmer J, de Kam SS, Sauerwein HP. Use of sodium hydroxide solution to clear partially occluded vascular access ports. JPEN J Parenter Enteral Nutr. May-Jun 1993;17(3):289-291.

10.   Andris DA, Krzywda EA. Catheter pinch-off syndrome: recognition and management. J Intraven Nurs. Sep-Oct 1997;20(5):233-237.

11.   Fleming CR. Hepatobiliary complications in adults receiving nutrition support. Dig Dis. Jul-Aug 1994;12(4):191-198.

12.   Brooks MJ, Melnik G. The refeeding syndrome: an approach to understanding its complications and preventing its occurrence. Pharmacotherapy. Nov-Dec 1995;15(6):713-726.

13.   McCowen KC, Malhotra A, Bistrian BR. Stress-induced hyperglycemia. Crit Care Clin. Jan 2001;17(1):107-124.

14.   최희진. 정맥영양 공급을 위한 3-Chamber Bag 제제에 대한 고찰. 한국정맥경장영양학회지 2017;9(1): 7-15.

15.   Boullata, Joseph I., et al. ASPEN clinical guidelines: parenteral

nutrition ordering, order review, compounding, labeling, and dispensing. Journal of Parenteral and Enteral Nutrition 2014;38(3): 334-377.

06

정규 수술 환자에서의
영양지원

정규 수술 환자에서의
영양지원

- 영양지원의 목적은 수술 전후 금식과 수술로 인한 negative protein balance를 최소화하고 적절한 영양지원을 통해 수술 후 합병증과 사망률을 감소시켜 빠른 일상 생활의 복귀에 있음.

- 수술 환자의 영양지원은 중증영양결핍환자에서 수술 전 7~14일 동안의 영양지원을 권고함.

- 수술 전 6시간까지 고형 음식이 허용되고, 2시간 전까지 맑은 음료(clear fluid)를 허용함으로써 수술 합병증을 줄일 수 있다는 보고가 있음.

- 수술 후 24시간 내의 음식투여를 통한 적절한 경구 영양섭취는 수술결과에 도움을 줌.

- ERAS는 영양지원뿐만 아니라 다학제적 접근을 통한 회복증진 프로그램으로, 대사영양 면에서는 영양지원을 최적화하고 negative protein balance를 최소화하기 위한 적절한 영양 공급을 목적으로 함.

1 영양대사적 측면에서 수술 전후 영양관리의 KEY POINTs[1]

1) 수술 전후 환자 관리에 영양지원부분 통합(integration of nutrition into the overall management of the patient)

2) 수술 전 장기간의 금식 피하기(avoidance of long periods of preoperative fasting)

3) 수술 후 가능한 빨리 경구영양의 재시작(re-establishment of oral feeding as early as possible after surgery)

4) 영양결핍 위험 환자에서는 조기에 영양치료 시작(start of nutritional therapy early, as soon as a nutritional risk becomes apparent)

5) 대사 조절(예: 엄격한 혈당조절)(metabolic control e.g. of blood glucose)

6) 스트레스 관련 이화작용이나 위장관 기능을 저해를 악화시키는 인자의 감소(reduction of factors which exacerbate stress-related catabolism or impair gastrointestinal function)

7) 수술 후 인공호흡기 관리를 위한 마비성 약제 최소화(minimized time on paralytic agents for ventilator management in the postoperative period)

8) 단백질 합성과 근육기능 유지를 위한 조기보행(early mobilisation to facilitate protein synthesis and muscle function)

2 수술 환자 영양 지원의 적응증[1-3]

- 수술 전 대수술을 겪을 환자에 대한 관례적 영양지원의 역할
  은 없음.
- 중증의 영양결핍이 있는 환자에 있어서는 대수술 전 7~14
  일 동안의 영양지원이 권고됨.
- 수술 전 영양결핍과 체중감소는 수술치료 후 생존율과 반응
  에 있어서 불량한 예후의 강력한 예측인자이지만 아직까지
  여러가지 영양검색방법 가운데 이러한 일관적 임상적 가치
  를 가지는 방법은 없음.
- 최근 직종 간의 다학제적 접근으로 영양 및 수술 전 재활 운
  동의 필요성 대두됨.
- 수술 전 후 영양결핍환자에서 영양지원이 필요한 가이드라
  인은 다음과 같음(표1).

표 1. 수술 전후 영양결핍으로 인한 영양지원이 필요한 환자[1]

수술 전	수술 후
① 체중감소(6개월간 10~15%)	① 수술 전후 5일 이상 금식이
② 체질량지수(BMI) < 18.5 kg/m2	필요한 경우
③ Subjective global assessment (SGA) Grade C or NRS > 5	② 영양공급이 7일 이상 권장 에너지 요구량에 50%를 넘지 못하는 경우
④ 혈청 알부민 < 3.0 g/dl (간부전, 신부전이 없는 경우)	

- 모든 영양지원은 경구를 선호함.
- 경구 영양의 금기
  ① 장폐색 또는 장마비(Intestinal obstructions or ileus)
  ② 심한 쇼크(Severe shock)
  ③ 장 허혈(Intestinal ischemia)
  ④ 고배출 누공(high output fistula)
  ⑤ 심한 장관 출혈(Severe intestinal hemorrhage)
- 7일 이상 경구 영양으로 에너지 요구량의 50%를 넘지 못하면 가능한 빨리 정맥영양 병행해야 함(ESPEN).
- ASPEN (2016년) 가이드라인: 경구영양이 5-7일 내에 에너지 요구량을 충족하지 못하면, 수술 후 7일 이후에 정맥영양을 시작할 것을 권유[4]

3 수술 환자의 영양 지원의 방법

1) 수술 환자의 금식의 원칙

(1) 수술 전 환자의 금식의 원칙[1-3, 5]

- 수술 전의 경구 영양 섭취는 수술 후 회복기간 동안 protein balance, lean body mass의 보존, 근력(muscle strength) 유지, 재원일의 감소에 영향을 미침. 수술 전 탄수화물의 섭취는 인슐린 저항성을 감소시켜 고혈당으로

인한 합병증을 줄임.

- 대부분의 환자에서 자정부터 금식은 불필요.

- 수술 전 6시간의 고형음식의 금식을 요함.

- 수술 전 2시간의 맑은 음료(clear fluid)의 금식을 요함.

- 단, 흡인의 고위험군은 제외(응급수술, 위배출지연, 위식도역류 질환)

- 수술 전 탄수화물음료 섭취는 수술 전 불안완화, 수술 후 구역/구토(PONV) 완화, 인슐린 저항성 감소에 효과적으로 권유함.

(2) 수술 후 환자의 금식의 원칙[1, 6-8]

- 수술 후 경구 영양은 환자 상태와 수술 종류에 따라 가능한 빠른 시간내에 중지 없이 진행해야 함.

- 많은 음료 섭취는 수술 후 수시간 내에 시작할 것을 권유

- 조기 경구 섭취는 수술 후 영양관리와 ERAS의 중요한 요소로 이른 장기능 회복, 합병증 발생의 감소, 짧은 입원기간, 낮은 사망률과 연관됨.

- 조기경구섭취를 위해서는 다양한 방법의 장마비 예방을 위한 조치가 필요하며, 이러한 처치를 시행하지 않았을 경우 조기 경구 섭취군에서 환자의 활동이나 폐기능이 떨어지는 결과를 보였고 장마비로 인한 복부팽만이 야기됨.

- 적절한 장마비 예방조치와 함께 수술 후 4시간 후 경구섭

취를 권유하며 수술 당일 800 ml 이상의 경구수분섭취를
목표하여 점진적으로 정상경구섭취 상태를 이루도록 권
장됨.

2) 수술 전후 영양의 조성[2, 3, 5, 9-12]

(1) 열량

① 25~30 kcal/kg [ideal body weight (이상체중)]

- 일반적으로 이상체중 25 kcal/kg이 요구되나 심한 스
트레스 상황에서는 30 kcal/kg이 요구됨.
- 최근 비만환자가 늘어 나는 추세로 정맥영양 시 과영
양공급(overfeeding)되지 않도록 고려.

(2) 열량비율

① 단백질 : 지방 : 탄수화물 열량 비율 = 20 : 30 : 50

- 오랜 기간 PN을 시행하는 환자에 있어서는 지방간이
나 담즙정체가 일어나는 경우가 많으며, 패혈증이나
short bowel을 가진 환자에 있어서는 이러한 경우가 더
많이 발생함.
- 비단백질 열량의 비율에 있어서 고지혈증, 지방간을
고려하여 탄수화물 : 지방의 비율이 50 : 50에서 70 :
30까지 지방의 비율을 줄이는 경향임.

(3) 단백질

① 1.5 g/kg (이상체중) 또는 전체 공급열량의 20%

– 수술 전후는 정상상태에 비해 높은 아미노산을 필요로 하지만 과도한 단백질의 공급은 과도한 영양공급을 하지 않는 한 유해한 영향은 주지 않으나 비용적 측면에서 낭비임.

(4) 지방

– PN에서 에너지원으로서 지방을 포함하는 것은 전체 탄수화물의 양과 수액의 삼투압농도를 감소시키는 효과가 있음.

– 과거 n-6 PUFA가 풍부한 soybean based emulsion을 사용하는 경우 pro-inflammatory 효과로 인한 합병증의 영향 때문에 medium chain triglyceride로 대체되는 경향.

(5) 탄수화물

– 수술 후 외과적 손상은 인슐린 민감도(sensitivity)를 감소시켜 포도당 생산을 감소시키고 포도당의 조직 내 흡수와 glycogen 생산을 감소시켜 고혈당증을 유발.

– 인슐린 치료를 통한 포도당 조절은 수술 후 사망률과 이환율을 감소시키지만 정상혈당을 이루고자 하는 과도한 인슐린 치료는 도리어 해를 줄 수 있음.

– 최근에는 수술 후 고혈당의 위험성을 줄이는 방식으로 진행되고 있어 ERAS protocol이 시행됨.

(6) 비타민/미량원소

– 수술 후 5일 이내에 경구 및 경장영양이 가능한 영양상태

가 좋은 환자에서는 비타민 및 미량원소의 정맥공급의 충
분한 근거가 없음.

- 수술 후 경장영양이 불가능하거나 경정맥영양을 시행하
는 경우는 모든 비타민과 미량원소가 요구량에 따라 공급
되어야 함.

(7) 면역영양소

- 대표적인 것이 glutamine, $\omega-3$ fatty acid, arginine으로
$\omega-3$ fatty acid의 경우 anabolic effect와 면역조절효과,
glutamine은 metabolic fuel, 소장기능의 유지, T−림프구
반응의 유지, arginine의 경우 T−cell 기능의 자극, 미세순
환(microcirculation)의 향상을 위한 nitric oxide의 전구물질
(precursor)로 작용함.

- 2010년 이전의 글루타민 연구는 수술 후 결과를 좋게 한
다는 보고가 많이 발표됨.

- 최근 중환자를 대상으로 한 캐나다, 미국, 유럽의 40개 중
환자실의 1,223명의 환자를 대상으로 한 전향적 연구에
서 글루타민 투여의 효과에 부정적인 결과(사망률 증가)를
보여준 연구가 있음. [10]

- 2016년 미국의 150명의 기관부전이나 쇼크가 없는 중환
자를 대상으로 한 글루타민 효과 연구에서는 투여한 그룹
과 투여하지 않은 그룹에서 사망률이나 감염성 합병증률
에 차이가 없었음. [12]

- 2017년 ESPEN 가이드라인 상 수술 후 환자에서 경구 또는 정맥으로 글루타민 투여의 근거는 없는 것으로 권유함.
- 주요 암수술 환자에서 수술 전후로 면역영양소(arginine, ω−3 fatty acids, ribonucleotides)가 풍부한 경장fomula는 수술 후 합병증, 회복 측면에서 이로운 점이 있어 권유함.

3) 영양지원방법
(1) 경구영양: 제4장 참조
(2) 정맥영양: 제5장 참조

4) 수술 후 조기회복(Enhanced recovery after surgery, ERAS)

- ERAS는 수술 후 수술적 대사 스트레스를 감소시키고 basal body function의 지지를 목적으로 디자인된 multimodal perioperative care protocol로 수술 후 환자의 회복을 증진시키고 재원기간을 줄이며 수술 후 생기는 합병증을 줄이는 것을 목적으로 함.
- ERAS의 구성요소는 영양지원 뿐만아니라 다학제적 측면에서 접근.
- 대사영양 면에서는 영양지원을 최적화하고 negative protein balance를 최소화하기 위해 금식을 피하는 것을 목적으로 함.

– 방법적인 면에서는 술 전 영양부족 환자에게는 영양보충
음료(nutrition supplement drinks)로 지지하고, 술 전 탄수화
물음료(carbohydrate drink)의 투여를 통해 overnight 술 전
금식을 피함으로써 술 후 인슐린 저항성의 위험성을 줄
이고, 24시간 내 음식을 투여함으로써 장내점막의 구조
와 barrier function를 유지하고 mechanical & metabolic
complication을 줄이는 것을 원칙으로 함.

5) 퇴원 후 영양지원

– 수술 전후 영양지원의 효과에도 불구하고 퇴원 후 환자
의 70%에서는 체중감소가 계속되며 이는 대량의 체액이
동(fluid shift)으로 인해 체액정체(fluid retention)가 되고 lean
body mass의 손실을 가리는 영향이 있다. 또한 퇴원 후에
는 정맥수액지원(intravenous fluid support)이 없으며, 음식
섭취의 부족 및 구역, 구토, 식욕감소 미각과 후각의 변화
로 인해서 식욕변화가 원인이 됨.

– 음식섭취불량의 고위험군이나 영양결핍환자에 대해 퇴
원 후 영양보충제(nutritional supplements)는 도움을 줌.

6) 수술 후 경구영양보충요법 [13,14]

대한외과대사영양학회에서는 위절제술, 대장절제술등을 시
행한 환자에서 수술 후 경구영양보충요법의 다기관, 전향적 무작

위 대조연구를 시행하였다.(KSSMN-01) 시험군에서 정상식이에 더해 Encover® 200ml를 퇴원일부터 8주간 1일 2회 복용하도록 하였고, 대조군은 정상식이만 한 뒤 영양치료의 효과를 비교하였다. 이 연구에서 8주 뒤 양 군간에 체중감소의 효과는 미미하지만, total lymphocyte, total cholesterol, 혈청단백과 알부민 수치의 개선을 확인할 수 있었다.

참고문헌

1. Weimann A, Braga M, Carli F, Higashiguchi T, Hübner M, Klek S, et al. ESPEN guideline: Clinical nutrition in surgery. Clinical nutrition. 2017;36(3):623-50.

2. Braga M, Ljungqvist O, Soeters P, Fearon K, Weimann A, Bozzetti F. ESPEN guidelines on parenteral nutrition: surgery. Clinical nutrition. 2009;28(4):378-86.

3. Gustafsson UO, Ljungqvist O. Perioperative nutritional management in digestive tract surgery. Current Opinion in Clinical Nutrition & Metabolic Care. 2011;14(5):504-9.

4. McClave SA, Taylor BE, Martindale RG, Warren MM, Johnson DR, Braunschweig C, et al. American Society for Parenteral and Enteral Nutrition. Guidelines for the provision and assessment of nutrition support therapy in the adult critically ill patient: Society of Critical Care Medicine (SCCM) and American Society for Parenteral and Enteral Nutrition (ASPEN). JPEN J Parenter Enteral Nutr. 2016;40(2):159-211.

5. Awad S, Lobo DN. What's new in perioperative nutritional support? Current Opinion in Anesthesiology. 2011;24(3):339-48.

6. Lewis SJ, Egger M, Sylvester PA, Thomas S. Early enteral

feeding versus "nil by mouth" after gastrointestinal surgery: systematic review and meta-analysis of controlled trials. Bmj. 2001;323(7316):773.

7. Watters JM, Kirkpatrick SM, Norris SB, Shamji FM, Wells GA. Immediate postoperative enteral feeding results in impaired respiratory mechanics and decreased mobility. Annals of surgery. 1997;226(3):369.

8. Fearon K, Ljungqvist O, Von Meyenfeldt M, Revhaug A, Dejong C, Lassen K, et al. Enhanced recovery after surgery: a consensus review of clinical care for patients undergoing colonic resection. Clinical nutrition. 2005;24(3):466-77.

9. Cerantola Y, Hübner M, Grass F, Demartines N, Schäfer M. Immunonutrition in gastrointestinal surgery. British Journal of surgery. 2011;98(1):37-48.

10. Heyland D, Muscedere J, Wischmeyer PE, Cook D, Jones G, Albert M, et al. A randomized trial of glutamine and antioxidants in critically ill patients. New England Journal of Medicine. 2013;368(16):1489-97.

11. Fritsche K. Fatty acids as modulators of the immune response. Annual review of nutrition. 2006;26.

12. Ziegler TR, May AK, Hebbar G, Easley KA, Griffith DP, Dave N, et al. Efficacy and safety of glutamine-supplemented

parenteral nutrition in surgical ICU patients: an American multicenter randomized controlled trial. Annals of surgery. 2016;263(4):646.

13. 공성호, 류승완, 박준석, 박지원, 서경원, 이인규 등, 주요 위장관 절제술을 시행한 환자에서 수술 후 경구영양보충요법의 임상적 의의에 대한 다기관, 전향적 무작위 대조연구 (KSSMN-01). Surgical Metabolism and Nutrition. 2013;4:31-36

14. Kong SH, Park JS, Lee IK, Ryu SW, Park YK, et al. Postoperative oral nutritional supplementation after major gastrointestinal surgery: a randomized controlled clinical trial. Asia Pac J Clin Nutr. 2017;26(5):811-819.

외과대사영양 지침서　Compilation Committee
Korean Society of Surgical Metabolism and Nutrition
대한외과대사영양학회 편찬위원회

07

중환자에서의
영양지원

중환자에서의 영양지원

- 중환자에서의 영양공급은 혈역학적으로 불안정한 상태 등의 경우를 제외하고 입실 즉시 시행하는 것을 원칙으로 함.
- 48시간 이상 중환자실에 머물고 있는 모든 환자는 영양실조 상태로 간주하고 영양 요법을 고려해야 함.
- 이때, 경장영양이 정맥영양에 비해 더 좋은 임상결과를 보이는 것으로 알려져 있으며, 경장영양은 중환자실 입실 2일 이내에 시작하여야 함. 3일 이내에 경장영양을 시작하지 못하는 경우, 7일까지 기다리거나 혹은 즉시 정맥영양으로 전환하는 두 가지의 서로 다른 권고안이 보고되어 있음.
- 경장영양의 목표 열량은 영양지원을 시작하는 시점에서 명확히 결정하여 시행하도록 하여야 함.
- 경장영양에 대한 내성, 적절도 및 흡인의 가능성에 대해 지속적으로 관리하여야 함.
- 정맥영양은 경장영양이 불가능한 경우에 한해서 시행하며, 시작시점은 입실 7일 이후 혹은 입실 24~48시간 이내에 즉시 시행하는 두 가지의 상반된 의견이 제시되고 있음.
- 정맥영양의 목표열량은 시작 시점에서는 경도의 감식을 적용하되, 점차 증량하여야 함.
- 신체 활동은 영양 요법의 유익한 효과를 향상시킬 수 있음.

1 배경 및 목표

입원 환자, 특히 중환자에서의 영양 공급은 매우 중요함. 일반적으로 중환자는 전신적인 염증반응과 연관된 이화대사상태인 경우가 많고, 이로 인해 감염성 합병증, 다발성 장기부전, 재원기간 증가, 사망 등이 증가하는 것으로 알려져 있음. 중환자는 환자의 상태를 악화시키지 않기 위해 수분, 전해질, 산염기 상태 등의 균형이 중요하고, 장관으로의 영양섭취가 제한적인 경우도 흔함. 동일한 질환이라 하더라도 개인적인 환자 상태에 따라 주요 고려사항이 달라질 수가 있으므로 개개인의 차이와 시기에 따른 조정이 필요함. 중환자의 영양 실조 평가는 특정 도구에 의해 평가되기 전까지는 일반적인 임상 평가에 의해 이루어져야 함. 일반적인 임상 평가는 병력 청취, 의도치 않은 체중 감소 또는 신체 기능 저하, 이학적 검사, 그리고 체성분, 근육량과 강도의 측정 등이 있음. 중환자에서의 영양공급의 중요한 세가지 목표는 탈지방체중(lean body mass)의 보존, 면역기능 유지, 대사 부작용 방지임. [1] [2] [3]

2 영양지원 방법에 따른 권고

1) 경장영양

(1) 경장영양의 시작

i. 내원 초기 24~48시간 이내에 경장영양이 시작되어야 하며, 이후 48~72시간 이내에 목표량까지 진행하여야 함. 경구 식이가 불가능한 환자에게 48시간 이내에 시작하는 조기 경 장영양(48시간 이내)은 지연 경장영양, 정맥영양보다 우선적 으로 시행되어야 함. 단, 혈역학적으로 안정화된 환자이면 서 위장관기능이 조기 경장영양에 적합한 경우에 한함. 경구 식이 및 경장영양이 불가한 경우, 정맥영양은 3~7일 이내에 반드시 시작하도록 하여야 함.

ii. 중환자실에서의 불충분한 영양공급은 합병증 및 사망률의 증가와 연관이 되어 있으므로, 반드시 영양공급이 이루어져 야 함. 심한 영양 실조 환자에서 경장 영양의 금기인 경우 정 맥 영양을 초기부터 공급할 수 있음. 과다 영양 공급을 피하 기 위해 조기에 전체 요구량을 공급하지 말고, 3-7일에 걸 쳐 점진적으로 증량하면서 공급해야 함. [3]

   a. 중환자 치료에 있어서 전통적인 영양평가 항목으로 알려 져 있는 알부민, 프리알부민, 인체계측법은 큰 의의를 가 지지 못함. 중환자 치료에서 경장영양을 시작하는 데 있어 오히려 중요한 것은 체중감소, 내원직전 영양섭취량, 질환 의 중증도, 동반질환, 위장관의 기능 등을 들 수 있음.

   b. 자발적인 영양섭취가 불가능한 중환자에서도 경장영양 형태의 영양지원은 반드시 고려되어야 함.

   c. 영양지원이 필요한 중환자에서 경장영양은 정맥영양에

우선하여 고려하여야 함. [4]

d. 중환자에서 장음 혹은 위창자가스 배출이 없는 경우에도 경장영양을 시작할 수 있음.

e. 쇼크, 저산소증, 산증(acidosis), 상부위장관 출혈 등이 조절되지 않는 경우, 다량의 위 흡인량(>500ml/6h), 장 허혈, 장 폐색, 복부구획증후군, 원위부 급식 튜브가 없는 다량의 누공 배출이 있는 환자는 경장영양의 금기임.

f. 중환자실에서는 위급식 혹은 소장급식 모두 가능하며, 위급식 후 불내성 혹은 흡인의 가능성이 높은 경우 소장(주로 공장)에 관을 거치하여 경장영양을 시행하여야 함. [5]

(2) 경장영양 요구량

① 열량요구량에 의해 산출되는 경장영양의 목표는 영양지원을 시작하는 시점에서 명확히 결정되어야 함. 열량요구량은 간접열량 측정계 혹은 예측계산식을 사용하여 계산할 수 있음.

  i. 급성 질환의 초기 단계에는 에너지 요구량의 70%를 넘지 않는 hypocaloric nutrition을 시행하여야 함. 3일 이후에 에너지 요구량의 80-100%까지 공급을 늘릴 수 있음. 에너지 요구량 예측 공식을 사용할 경우, 중환자실에서 첫 일주일 동안 hypocaloric nutrition은 isocaloric nutrition보다 우선시 됨. [16] (그림 1), (그림 2)

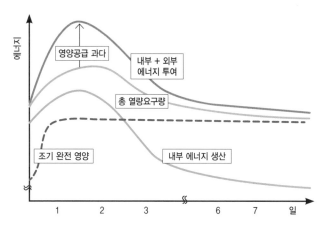

그림 1. 중증 환자의 급성기에 조기 완전 영양을 투여할 경우 내부 에너지 생산과 더해져 과잉 영양공급을 초래할 수 있음.

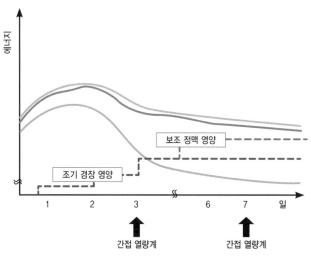

그림 2. 적절한 조기 경장영양과 보조 정맥영양을 통해 적절한 양의 영양공급을 시행할 수 있으며 에너지 소비의 동적 변화를 모니터링하기 위해 반복 열량 측정이 필요함.

ii. 중환자에서 급성기 동안 20~25 kcal/kg/day (실제체중 기준)를 초과하는 영양공급이 시행될 경우, 양호하지 않은 결과가 보고되었음.

② 경장영양을 시작하고 일주일 내에 목표열량의 100%에 해당하는 열량요구량을 충족시키지 못할 때에는, 보조 정맥영양의 안전성과 이점을 환자 개인별로 고려하여 적용할 수 있음. [6]

③ 단백질 공급의 정확도는 지속적으로 평가되어야 함. 표준 경장 영양제제는 비단백질성 열량 대 질소비가 높은 경향을 보이므로, 추가적인 단백질 보조제제의 사용은 일반적으로 이루어지고 있는 상태임. 단백질 요구량은 실제체중을 기준으로 일당 1.2~2.0 g/kg이며, 화상이나 다발성 외상환자에서는 증가하게 됨.

(3) 경장영양의 내성 및 적절도 감시

① 중환자실에서 경장영양의 시작에 있어 위장관운동의 증거는 필요하지 않음.

② 경장영양 시행 시 복통, 복부팽만, 신체검진, 위장관가스 배출 및 배변, 복부영상 등을 통해 경장영양에 대한 내성을 반드시 감시하여야 함. 가급적 경장영양을 지속하는 것을 원칙으로 하고, 일상적인 위내잔량의 확인은 필요하지 않지만, 이를 적용하는 병원에서는 위내잔량이 500 ml

미만인 경우에는 경장영양을 지속하여야 함. 부적절한 영양공급 및 장폐색 기간의 연장을 방지하기 위해 진단검사 혹은 시술의 전후에 요구되는 금식은 최소화하도록 함.

③ 경장영양 프로토콜을 사용함으로써 공급되는 목표열량을 전반적으로 증가시킬 수 있으므로, 이를 시행하도록 하여야 함.

④ 흡인의 위험성이 있으므로, 경장영양을 시행하는 경우 이에 대해 평가하고 흡인의 위험성을 낮추기 위한 조치를 적극적으로 취하여야 함. 흡인의 위험성을 낮추는 대표적인 방법은 아래와 같은 것을 들 수 있음.

i. 기관삽관을 하고 경장영양을 시행하는 모든 환자는 약 30도~45도의 상체거상을 시행함.

ii. 위급식에 대한 불내성이 있는 고위험도의 환자에서는 경장영양을 지속주입 형태로 변경하여야 함.

iii. 위장관 운동을 촉진시키는 약물(metoclopramide 및 erythromycin 등의 위장운동 촉진제)은 임상적으로 적절한 경우에 사용할 수 있음. [7]

iv. 유문을 통과하는 튜브삽관 등을 통해 급식의 전달위치를 변경하는 것을 고려하여야 함.

v. 인공호흡기 연관 폐렴의 위험성을 낮추기 위해 Chlorhexidine 구강세정제를 하루 2회 사용하도록 함.

⑤ 튜브를 사용한 경장영양과 관련하여 설사가 발생한 경

우, 경장영양을 중단하지 말고 설사의 원인을 찾는 동안
영양 공급을 지속할 수 있음.

(4) 적절한 경장영양 처방의 선택

① Arginine, glutamine, nucleic acid, $\omega-3$ fatty acids와
항산화제들을 포함하는 Immune-modulating enteral
formulations은 예정수술, 외상, 화상, 두경부암, 인공호
흡기를 적용한 중환자 등의 적합한 환자군에서만 사용되
어야 하며, 이때 중증패혈증의 발생가능성에 항상 주의
하여야 함. Immune-modulating enteral formulations의
사용범주에 포함되지 않는 중증 패혈증을 포함한 환자의
경우에는 표준경장영양처방을 시행하여야 함.

② 중증 외상 환자에서 경장영양에 글루타민을 추가적으로
첫 5일 동안 투여할 수 있으며 (0.2-0.3 g/kg/d), 중증 창상
의 치유에는 10 ~ 15 일의 장기간 투여가 가능함. 하지
만, 화상과 외상 환자를 제외한 중환자실 환자에게 추가
적인 경장 글루타민을 투여해서는 안 됨.[8]

③ 고농도의 $\omega-3$ 함유 경장 영양 수액을 일상적으로 공급
하거나 bolus로 투여해서는 안 됨.[9]

④ Immune-modulating enteral formulations을 사용하여 최
적의 치료효과를 기대하기 위해서는, 최소한 목표열량요
구량의 50~65% 이상을 공급하여야 함.

2) 정맥영양

경장영양에서 조기영양공급 및 위장관사용 등을 통한 임상결과의 향상은 여러 연구를 통해 이미 증명된 바 있음. 하지만 정맥영양의 경우 다른 접근방법이 불가능하거나 안전하지 않은 경우 대체 혹은 부가적인 영양접근으로서 의미를 가질 수 있음. 이러한 정맥영양의 주된 목표는 요구량에 근접한 영양공급을 안전하게, 합병증 없이 시행하는 것이라 할 수 있음.

(1) 정맥영양의 시작

① 경장영양이 불가능한 환자에서 정맥영양의 시작시점에 관해서는 서로 다른 두 가지의 이론이 보고되어 있음.

   i. 중환자실 입실 후 최초 7일까지는 경장영양이 불가하거나 적절치 않을 경우에 영양지원을 하지 않음. 중환자실 입실 전 단백질 칼로리 영양실조의 증거가 없고 건강하였던 환자의 경우, 가급적 정맥영양의 시행을 늦추고 중환자실 입실 7일 이후에도 경장영양이 불가한 경우에 한해서 정맥영양을 시행하도록 함.

   ii. 중환자실 입실 3일 이내에 정상영양공급을 기대할 수 없거나, 경장영양공급의 금기 혹은 불가능한 경우, 24~48시간 이내에 정맥영양공급을 시행하여야 함.

   iii. 이 두 가지 기준의 차이는 그 바탕이 된 연구에서 정맥영양공급군의 영양공급량 및 혈당 조절에 따른 해

석의 차이에서 기인한 것으로, 정맥영양공급을 빨리 시작한 환자에서 감염의 증가 및 사망률의 증가는 정맥영양 자체의 영향이라기 보다는 부족한 열량 및 고혈당에 의한 오류가 개입한 결과로도 판단할 수 있음.

② 입원 당시 단백질 칼로리 영양실조의 증거가 있고 경장영양이 불가한 경우, 정맥영양은 혈역학적으로 안정 상태에서 입원 직후부터 시행하여야 함.

③ 위장관계 수술 등이 예상되어 경장영양을 시행할 수 없는 경우, 정맥영양은 아래의 특별한 상황에서 시행하여야 함.

i. 영양실조 상태의 환자에서는 정맥영양공급을 수술 전 5~7일에 시작하고, 수술 후에도 지속하여야 함.

ii. 경장영양의 진행이 불가한 경우, 정맥영양공급은 수술 직후 시작하지 않고 5~7일간 지연하여 시작하여야 함.

iii. 5~7일 이내의 정맥영양 공급은 환자의 경과를 향상시키지 못하고, 위험도를 증가시킬 수 있음. 정맥영양공급은 7일 이상의 기간이 필요할 것으로 예상되는 경우에 국한하여 시행하여야 함.

④ 정맥영양의 적응증

– 중환자에서 식이결핍 혹은 감식은 합병증 및 사망률의 증가와 밀접한 관련이 있으므로, 영양공급이 반드시

이루어져야 함.

   i. 경장영양이 불가능하거나 적합하지 않은 경우, 정맥영양의 필요성을 평가함. 평가를 통해 정맥영양의 대상으로 판단되는 경우, 용량, 성분, 감시, 추가 첨가성분의 선택 등을 통해 그 효율을 극대화 시키도록 하여야 함.

   ii. 경장영양을 시행하고 있으나, 경장영양 시작 2일 후에도 목표열량에 미달된 경우, 보조요법으로서 정맥영양을 고려할 수 있음.

   iii. 정맥영양공급이 안정화된 환자에서, 주기적이며 반복적인 경장 영양의 시도가 이루어져야 함. 경장 영양에 대한 내성이 증가하고, 공급되는 용량이 증가함에 따라 정맥영양의 분율을 줄여나가야 하며, 경장영양이 목표열량요구량의 60% 이상으로 증가한 경우에 정맥영양의 종료를 고려하여야 함.

(2) 정맥영양 요구량

  ① 정맥영양의 목표열량에 대해서는 두 가지의 서로 다른 이론이 보고되어 있음.

   i. 정맥영양을 시행하는 모든 중환자에서, 적어도 정맥영양의 시작 시점에는 경도의 감식을 고려해야 함. 일단 열량요구량이 결정되면, 이 요구량의 80%를 정맥영양

의 최종목표로 설정하도록 하여야 함. 환자의 상태가 안정화되면, 최초 계산하였던 열량요구량에 맞게 증량함.

    ii. 간접열량측정계가 없는 경우 중환자에서는 25 kcal/kg/day로 영양공급을 시작하고, 환자의 상태에 따라 다음 2∼3일간 단계적으로 증량하여야 함.

② 중환자실 환자에게 투여되는 포도당의 양은 5 mg/kg/min 을 초과하면 안 됨. 영양공급이 이루어지는 동안 혈당은 110∼150 mg/dl의 범위로 조절하도록 하며, 180 mg/dl 이상에서는 감염성합병증 및 사망률이 증가하므로 조절이 요구됨.

③ 일반적인 정맥영양에는 지질이 포함되어야 하며, 정맥영양 내 지질은 1.5 g/kg/day를 초과해서는 안 됨. LCT/MCT lipid emulsion의 형태로 공급하여야 함. 중환자실 입실 1주 이내의 환자이면서 경장영양이 불가능해 정맥영양이 요구되는 환자에서는 대두지방을 제외한 정맥영양 처방을 하여야 함. 올리브오일 기반의 지방산 정맥영양이 도움이 될 수 있음. [10]

④ 아미노산 혼합물은 1.3∼1.5 g/kg/day (표준체중 기준)으로 공급하여야 함.

⑤ 불안정한 중환자실 환자, 특히 간 또는 신부전 환자에게 정맥 글루타민−디펩티드를 투여해서는안 됨.

⑥ 정맥 영양을 받는 환자에게 EPA-DHA (0.1-0.2 g/kg/d) 가 함유된 정맥 지질 유제를 공급할 수 있음.

⑦ 기질(substrate) 대사를 가능하게 하기 위해 미량 영양소(미량 원소 및 비타민)를 매일 정맥 영양과 함께 공급해야 함. [11]

⑧ 항산화제의 고용량 단일 요법은 결핍의 확인 없이 투여되어서는 안 됨.

⑨ 혈장 내 비타민 D 저농도(25-하이드록시-비타민 D < 12.5 ng/ml 또는 50 nmol/l)가 확인된 중환자의 경우 비타민 D3를 보충할 수 있으며, 입원 일주일 이내에 고용량의 비타민 D3(500,000 UI)를 1회 투여할 수 있음. [12]

참고문헌

1. Singer P, Blaser AR, Berger MM, Alhazzani W, Calder PC, Casaer MP, et al. ESPEN guideline on clinical nutrition in the intensive care unit. Clin Nutr. 2019;38(1):48-79.

2. McClave SA, Taylor BE, Martindale RG, Warren MM, Johnson DR, Braunschweig C, et al. Guidelines for the Provision and Assessment of Nutrition Support Therapy in the Adult Critically Ill Patient: Society of Critical Care Medicine (SCCM) and American Society for Parenteral and Enteral Nutrition (A.S.P.E.N.). JPEN J Parenter Enteral Nutr. 2016;40(2):159-211.

3. Reintam Blaser A, Starkopf J, Alhazzani W, Berger MM, Casaer MP, Deane AM, et al. Early enteral nutrition in critically ill patients: ESICM clinical practice guidelines. Intensive Care Med. 2017;43(3):380-98.

4. Jolliet P, Pichard C, Biolo G, Chiolero R, Grimble G, Leverve X, et al. Enteral nutrition in intensive care patients: a practical approach. Clin Nutr. 1999;18(1):47-56.

5. Deane AM, Dhaliwal R, Day AG, Ridley EJ, Davies AR, Heyland DK. Comparisons between intragastric and small intestinal delivery of enteral nutrition in the critically

ill: a systematic review and meta-analysis. Crit Care. 2013;17(3):R125.

6. Allingstrup MJ, Kondrup J, Wiis J, Claudius C, Pedersen UG, Hein-Rasmussen R, et al. Early goal-directed nutrition versus standard of care in adult intensive care patients: the single-centre, randomised, outcome assessor-blinded EAT-ICU trial. Intensive Care Med. 2017;43(11):1637-47.

7. Ridley EJ, Davies AR. Practicalities of nutrition support in the intensive care unit: the usefulness of gastric residual volume and prokinetic agents with enteral nutrition. Nutrition. 2011;27(5):509-12.

8. Rousseau AF, Losser MR, Ichai C, Berger MM. ESPEN endorsed recommendations: nutritional therapy in major burns. Clin Nutr. 2013;32(4):497-502.

9. Kagan I, Cohen J, Stein M, Bendavid I, Pinsker D, Silva V, et al. Preemptive enteral nutrition enriched with eicosapentaenoic acid, gamma-linolenic acid and antioxidants in severe multiple trauma: a prospective, randomized, double-blind study. Intensive Care Med. 2015;41(3):460-9.

10. Lammert O, Grunnet N, Faber P, Bjornsbo KS, Dich J, Larsen LO, et al. Effects of isoenergetic overfeeding of either carbohydrate or fat in young men. Br J Nutr.

2000;84(2):233-45.

11. Singer P, Berger MM, Van den Berghe G, Biolo G, Calder P, Forbes A, et al. ESPEN Guidelines on Parenteral Nutrition: intensive care. Clin Nutr. 2009;28(4):387-400.

12. Zajic P, Amrein K. Vitamin D deficiency in the ICU: a systematic review. Minerva Endocrinol. 2014;39(4):275-87.

08

중증 화상환자의
영양지원

중증 화상환자의 영양지원

- 장내 영양과 고 단백 식이는 중요하며, 각 개인마다 요구량이 다르며 치료 과정 전반에 걸쳐 변화 함.

- 조기 경장 영양이 우선시 되나 환자의 상태에 따라 PN 병용이 불가피함.

- 간접휴식대사량 측정기는 1주일에 최소 2회 정도 측정하여 환자의 휴식 대사량 평가가 필요함.

1 Introduction

중증 화상은 신체 항상성에 많은 변화를 유발하며, 단일 외상 중 사망률이 가장 높은 외상 중 하나임. 에너지 소모량과 혈액 순환이 과도하게 증가하며, 시상하부의 체온 조절 점이 재 조정되고, 면역기능의 이상 및 말초 인슐린 저항성의 증가, 골격근의

이화작용 증가 등 전신 대사의 변화를 일으킴.[1] 이러한 과 대사
적 반응으로 체중제외질량(lean body mass) 감소, 근육 약화, 면역
성 저하 및 상처 치유 지연 등을 유발함.[2] 이로 인해 충분한 영양
공급이 중요하며, 적극적인 영양 공급은 사망률 및 합병증을 감
소시키고, 상처 재생을 원활하게 함. 부족한 영양 지원은 상처 재
생의 지연, 세포의 기능 장애, 감염에 대한 저항력 감소, 궁극적
으로 사망에 이를 수 있으며, 이에 반해 과다한 영양 공급은 이
산화탄소 생성 증가, 호흡 실패, 고혈당, 간기능 장애를 유발 함.
따라서, 중증 화상 환자에게 적절한 영양 공급이 필요하며, 정확
한 요구량을 충족시키기 위한 방법 또한 필요함. 현재 다양한 공
식을 이용한 방법들이 제시되었으나 그 정확성에 대한 의구심
이 있으며 최근 간접휴식대사량 측정기(Indirect Calorimetry)를 이
용한 여러 연구에서 대사량의 증가 비율이 과거 160~200% 에서
120~150% 로 여겨지고 있으며, 이러한 이유는 화상 치료의 발
전에 기인한다고 볼 수 있음.[3]

2 Modern burn care and metabolic requirements

현재 화상 치료는 화상으로 유발된 과대사적 성질을 변화시키
지는 못했지만 그 크기를 현저하게 감소 시켰음. 적절한 주위 온
도와 습도 조절로 20%정도의 칼로리 소모량을 줄일 수 있으며,

적절한 항생제의 사용과 적극적인 조기 이식 수술(early excision graft)이 과대사적반응을 조절 할 수 있는 것으로 보임. 또한 중증 화상 환자의 경우 화상 수술 시 화상 상처를 autograft, allograft 또는 합성 대체제로 커버 함으로 인해 과대사적반응 기간을 단축할 수 있음. 또한 인공호흡기, 적절한 통증 조절 및 진정제 사용이 에너지 요구량을 낮추는데 도움을 줄 수 있음. 그러한 결과로 대사량을 증가가 정상의 120-150%정도 증가된 것으로 보고 되고 있지만, [4] 환자의 상태에 따라 에너지 요구량이 변화하기 때문에 영양 공급 시 항상 고려해야 함.

3 Assessment of nutritional needs

화상 환자의 치료에 있어 적절한 영양 공급은 필수적이며, 정확한 요구량의 산정이 중요함. 이러한 목적으로 다양한 공식들이 개발 및 사용되어 왔으나, 그 정확성에 대해서는 여전히 의구심이 논의되고 있음. 이러한 이유로 간접휴식대사량 측정기(Indirect calorimetry)가 gold standard로 여겨지고 있으며, 많은 연구 결과들이 보고 되고 있음. Jeon등의 연구 결과에 의하면, 기존의 공식을 사용 할 경우 overfeeding을 조장할 수 있으며, 간접휴식대사량 측정기를 사용 할 수 없는 경우 Rule of thumb (25 Kcal/Kg) 공식을 사용 하도록 권고하고 있음. [5] 간접휴식대사량 측정기는 가급적 환자가 안정상태에서 측정하는 것이 좋으며, 자발 호흡이 가능한 경우는 Canopy를 사용하고, 인공호흡기를 사용하고 있는 환자는 인공호흡기에 직접 연결하여 측정하면 됨. 흡기 시와 호기 시의 가스를 채취하여 분당 산소소비량(VO_2)과 이산화탄소생성량(VCO_2)을 구하여 컴퓨터를 통해 호흡지수(respiratory quotient, RQ VO_2/VCO_2)를 산출할 수 있음.[6] 이를 통해 underfeeding 또는 overfeeding를 발견할 수 있으며, 환자의 대사량 및 특정substrates의 사용을 평가할 수 있음.

4 Indirect Calororimetry

환자의 필요한 칼로리를 직접 측정하는 것이 가장 좋은 방법이나 임상적으로 불가함. 다양한 공식들이 사용되나 그 정확성에 대해서는 여전히 의구심이 많음. 이러한 이유로 간접휴식대사량 측정기는 에너지 요구량을 산정하는데 current gold standard로 여겨 지고 있음. 간접 휴식대사량측정기는 환자의 휴식대사량을 측정 및 호흡지수(Respiratory quotient, RQ)를 측정하여 환자의 실제 요구량 및 underfeeding 및 overfeeding 유무를 관찰 할 수 있음. 중증의 화상 환자들의 경우 1주일에 2회 정도 측정하도록 권고함.

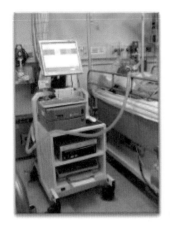

Specific nutrient requirements

1) Carbohydrates

성인 및 소아 화상 환자에서 권고되는 탄수화물 공급량은 전체 에너지의 55-60%를 넘지 말아야 하며, 5 mg/kg/min 이하로 공급되어야 함.[7] 탄수화물 식이의 주요한 합병증은 당불내성으로 인한 고혈당이 생길 수 있으므로, 적극적인 혈당 조절은 환자 치료에 중요한 부분임. 하지만, 화상 환자들은 치료의 특성 상 자주 금식 상황에 놓일 수 있고, 너무 적극적인 인슐린 치료는 저혈당을 유발할 수 있기 때문에 주의를 요함. 소량의 지방을 같이 공급

함으로 인해 탄수화물의 용량을 줄일 수 있고, 당 불내성을 현저히 조절 할 수 있음. 일부 환자에 있어 Metformine 사용이 혈당을 내릴 수 있으나, lactic acidosis를 조장 할 수 있기 때문에 주의해야 함.[8]

2) Lipids

화상 환자의 경우 화상 상처에서 유발 된 호르몬의 환경이 지방 분해를 억제시키고 에너지로의 이용이 제한적이기 때문에 대부분의 저자들은 non-protein calories의 30%(또는 1g/kg/day)를 넘지 않도록 권고하고 있음.[9] 지방을 공급 시 지방의 양보다 지방의 조성이 더 중요함. Linoleic acid 와 같은 대부분의 지방제제는 omega-6 fatty acids을 구성되어 있고, 이는 pro-inflammatory cytokines의 전구체로 작용하여 염증반응을 조장할 수 있음. 하지만 fish oil은 ω-3 fatty acids을 풍부히 가지고 있고, 항염증작용의 전구체로 작용함. 또한, 면역반응을 개선시키며 환자의 예후에 긍정적인 영향을 주며 고혈당을 예방하는 효과도 있음.[10]

3) Protein

화상 후 호르몬의 변화는 단백 분해를 조장함. 탄수화물이나 지방 공급은 단백 대사를 부분적으로 감소 시킬 수는 있으나, 지방제외체중(lean body mass)의 감소를 막을 수는 없음. 화상 환자의 상처 치유(wound healing), 효소, 면역기능을 위해 단백질 요구량이 증가함. 따라서, 에너지 공급이 제한되면 단백질이 에너지원으로 사용됨. 하지만 필요한 양보다 많은 양을 공급할 경우는 단백질 합성을 증가하기 보다는 overfeeding을 조장할 수 있음. 화상 환자의 단백 대사는 150 grams/day을 초과하며, 그 대부분은 골격근에서 유래됨. 단백질을 정상보다 과량 공급하는 것은 저장된 단백질의 분해를 감소 시키지는 못하지만 단백질 합성을 촉진시키며, 음성질소평형(negative nitrogen balance)을 감소 시킬 수 있음. 단백질 요구량은 1.5-2 g/Kg/d 정도가 적당함. 글루타민(Glutamine)은 조건부 필수 아미노산으로 림프구 및 장세포에 연료로 사용되며, 장 면역에 중요한 역할을 함. 글루타민 공급에 관한 여러 연구에서 (low-dose(<0.20g/kg/day) vs high dose(>0.20/kg/day) GLU, or parenteral vs enteral administration) 글루타민 공급이 환자의 예후에 좋은 영향을 준다, 또는 효과가 없다, 오히려 예후에 악 영향을 줄 수 있다라고 보고되고 있지만, 화상 환자의 경우 25 g GLU/kg/day 공급할 경우 감염 감소, 사망률 감소, 재원 기간을 줄 일 수 있다고 보고 하였음.[11, 12]

6 Micronutrients: vitamin and trace elements

비타민과 미량 원소는 상처 치유와 면역기능에 중요한 역할을 함. 하지만 화상 환자에 대한 임상적인 연구는 많이 부족한 상태이며, 제한적인 몇몇 연구에서 몇몇의 비타민 공급이 유익할 것으로 보고 되고 있음. 아래는 몇몇 비타민의 권장 일일 수당 (recommended daily allowances, RDAs)을 소개하고자 함.

❖ Vitamin A – 상처 치유와 상피 생장에 중요하며, 항산화 제로 사용됨. 화상 수상 후에 비타민 A의 감소를 볼 수 있어, 추가적인 공급 할 것을 권장하나 부작용이 나타날 수 있음. [13]

❖ Vitamin C – 비타민 C는 콜라겐 합성과 가교 결합에 필수적이며, 상처 치유에 중요한 역할을 함. 또한 순환하는 항산화제로도 작용 함. 화상 환자에게는 권장되는 RDA는 1000mg/day 정도임. [13]

❖ Vitamin D – 최근의 보고에 의하면, 화상 손상 후 뼈 흡수 (bone resorption) 및 골감소증(osteopenia)이 심각한 정도로 나타나며, 추가적인 공급 하도록 권고하고 있음. [14]

❖ Iron – 철은 산소 운반 단백질의 구성에 필요하며, 많은 효소들의 보조 인자로 작용 함. 화상환자는 부분적으로 혈액 손실로 인하여 철분 결핍에 생기기 쉽지만, 수혈은 상당한 양의 철분을 공급한다는 점도 기억해야 함.

❖ Zinc – 아연은 많은 금속 효소(metalloenzymes)의 기능에 필요함. 상처 치유의 여러 측면 및 DNA/RNA복제 림프구 기능에 중요한 영향을 줌. 아연 결핍을 화상 수상 후 급격히 나타나며, RDA는 220 mg/day(15 times RDA)로 권고되고 있음.

❖ Selenium – 셀레늄은 림프구의 기능 및 세포 매개 면역에 중요한 역할을 함. 화상의 손상된 피부를 통해 손실이 생기며, 셀레늄 부족 현상이 발생함.

7 Methods of nutritional support

1) Route of nutrition: parenteral vs enteral

TPN 사용은 이제 이론적 및 실용적인 이유로 경장 영양(EN)으로 대체되었음. 경장 영양은 직접 장 점막에 영양을 공급하며 이와 관련하여 일부 영양소(e.g. glutamine)가 특히 중요할 수 있음. 또한 장내 소량의 영양소의 존재는 장 세포의 기능을 자극하고 장내 미생물 및 정상 점막 기능을 유지하며 장의 정상적인 혈액 공급을 유지할 수 있음. 그리하여 이러한 효과는 박테리아 전이, 패혈증을 감소시키며, 장–관련 면역기능을 유지하는데 도움을 줄 수 있음.[15] 반면, TPN은 tumor necrosis factor (TNF) 및 다른 염증 촉진인자의 분비를 촉진함. TPN 제제 안에 지방은 염증 반응을 조장하고, 특히 폐기능 장애를 유발할 수 있음. 임상연구에서, 조기에 적극적인 경장 영양은 외상 및 중환자실 환자의 감염과 연관된 합병증을 줄인다고 보고 하였음.[16] 화상 환자의 경우 장내 영양 보충제로서 TPN 사용이 사망률을 크게 증가 시켰다는 보고도 있음.[17] Gut Integrity를 유지하는 것 외에도, EN은 간에 영양소를

1차 통과시켜(first pass), 고혈당증과 삼투압을 감소시킴. 이러한 이유로, 경장 영양은 정상적인 장 기능을 가지고 있는 모든 화상 환자에 영양 지원의 route of choice로 여겨짐.

2) Early enteral feeding

조기 경장 영양은 모든 연령대의 장내 영양소 섭취가 축적된 '칼로리 결핍'을 감소 시키고 질소 균형과 전반적인 영양 상태를 개선한다는 것이 분명해 짐. 십이지장 또는 공장 영양은 칼로리 목표의 달성을 용이하게 하고 흡인의 위험을 증가시키지 않으며 수술 중에도 계속될 수 있고, 또한 감염을 합병증을 감소시킬 수 있음. [18] 이러한 이유로, 화상 수상 후 48시간 이내에 시작해야 하며, 처음에 시작할 때는 20-40 mL/h로 시작하여 환자의 상태에 따라 증량하도록 함.

---

8 Non-nutritional management of hypermetabolism

조기 경장 영양에 더하여, 화상 환자의 과 대사적 반응을 줄이기 위해 몇가지 방법이 제시 되었음. 주위 환경을 28-30℃로 유지하고, 조기 절제 수술 및 피부 대체제의 발전 및 사용, 단백 합성을 촉진시킬 수 있는 제제의 사용 등이 제시될 수 있음. 충분한 통증 조절 및 조기 재활치료 프로그램도 중요한 역할을 함.

기저 심박수를 20% 감소시킬 수 있는 Propranolol 사용은 cytokines 및 stress 호르몬 분비를 감소시켜 과대사반응과 과이화 반응을 줄일 수 있음. Oxandrolone (10mg/12h) 사용으로 사망률 감소 및 재원 기간이 감소 될 수 있으며, 여러가지 좋은 효과들이 보고 되었음. Propranolol과 Oxandrolone은 둘다 비용 효과적인 약물 요법 임. 두개를 병합 요법은 현재 연구 중에 있음.

재조합 인간 성장 호르몬(recombinant human growth hormone, rhGH)의 사용은 성인 화상환자에서 권고되고 있지 않음. 하지만, 소아 화상 환자의 경우 공여부 치료, 과대사반응 감소, 성장 장애 에 도움이 된다고 보고 되었음.

9 Conclusion

중증 화상의 영양 지원은 지속적으로 진화되고 있지만 몇가지 양상은 분명함. 장내 영양과 고 단백 식이는 중요하며, 각 개인마 다 요구량이 다르며 치료 과정 전반에 걸쳐 변화 함. 따라서, 모든 팀 구성원은 지속적이고 체계적인 평가를 통해 모든 화상 환자들 에게 최적의 영양을 공급해야 함.

참고문헌

1. Wolfe, R.R., et al., Effect of severe burn injury on substrate cycling by glucose and fatty acids. N Engl J Med, 1987. 317(7): p. 403-8.

2. Jeschke, M.G., et al., Endogenous anabolic hormones and hypermetabolism: effect of trauma and gender differences. Ann Surg, 2005. 241(5): p. 759-67; discussion 767-8.

3. Garcia de Lorenzo y Mateos, A., C. Ortiz Leyba, and S.M. Sanchez Sanchez, [Guidelines for specialized nutritional and metabolic support in the critically-ill patient. Update. Consensus of the Spanish Society of Intensive Care Medicine and Coronary Units-Spanish Society of Parenteral and Enteral Nutrition (SEMICYUC-SENPE): critically-burned patient]. Med Intensiva, 2011. 35 Suppl 1: p. 63-7.

4. Tancheva, D., et al., Comparison of estimated energy requirements in severely burned patients with measurements by using indirect calorimetry. Ann Burns Fire Disasters, 2005. 18(1): p. 16-8.

5. Jeon, J., et al., Reliability of resting energy expenditure in major burns: Comparison between measured and predictive equations. Clin Nutr, 2018.

6. Ireton-Jones, C.S. and W.W. Turner, Jr., The use of respiratory quotient to determine the efficacy of nutrition support regimens. J Am Diet Assoc, 1987. 87(2): p. 180-3.

7. Prelack, K., M. Dylewski, and R.L. Sheridan, Practical guidelines for nutritional management of burn injury and recovery. Burns, 2007. 33(1): p. 14-24.

8. Gore, D.C., D.N. Herndon, and R.R. Wolfe, Comparison of peripheral metabolic effects of insulin and metformin following severe burn injury. J Trauma, 2005. 59(2): p. 316-22; discussion 322-3.

9. Demling, R.H. and P. Seigne, Metabolic management of patients with severe burns. World J Surg, 2000. 24(6): p. 673-80.

10. Huschak, G., et al., Olive oil based nutrition in multiple trauma patients: a pilot study. Intensive Care Med, 2005. 31(9): p. 1202-8.

11. Zhou, Y.P., et al., The effect of supplemental enteral glutamine on plasma levels, gut function, and outcome in severe burns: a randomized, double-blind, controlled clinical trial. JPEN J Parenter Enteral Nutr, 2003. 27(4): p. 241-5.

12. Garrel, D., The effect of supplemental enteral glutamine on plasma levels, gut function, and outcome in severe burns.

JPEN J Parenter Enteral Nutr, 2004. 28(2): p. 123; author reply 123.

13. Mayes, T., M.M. Gottschlich, and G.D. Warden, Clinical nutrition protocols for continuous quality improvements in the outcomes of patients with burns. J Burn Care Rehabil, 1997. 18(4): p. 365-8; discussion 364.

14. Gottschlich, M.M., et al., Hypovitaminosis D in acutely injured pediatric burn patients. J Am Diet Assoc, 2004. 104(6): p. 931-41, quiz 1031.

15. Magnotti, L.J. and E.A. Deitch, Burns, bacterial translocation, gut barrier function, and failure. J Burn Care Rehabil, 2005. 26(5): p. 383-91.

16. Moore, F.A., et al., TEN versus TPN following major abdominal trauma--reduced septic morbidity. J Trauma, 1989. 29(7): p. 916-22; discussion 922-3.

17. Herndon, D.N., et al., Increased mortality with intravenous supplemental feeding in severely burned patients. J Burn Care Rehabil, 1989. 10(4): p. 309-13.

18. Jenkins, M.E., M.M. Gottschlich, and G.D. Warden, Enteral feeding during operative procedures in thermal injuries. J Burn Care Rehabil, 1994. 15(2): p. 199-205.

<u>09</u>

암환자에서의
영양지원

암환자에서의 영양지원

● 암 환자는 질병 자체 및 항암 치료에 과정에 의해 영양 실조가 발생할 위험이 높음.

● 의사들은 암 관련 영양 상태를 과소평가하기 때문에 많은 심각한 영양 실조 환자들이 적절한 영양지원을 받지 못하고 있음.

● 모든 암 환자는 영양 결핍과 관련된 요소를 정기적으로 검사해야 하며 필요시 영양 중재 등을 통해 적절히 치료가 이루어져야 함.

● 또한 영양 지원은 영양요법뿐만 아니라 통증 및 증상 조절, 약물치료, 운동요법 등과 같이 포괄적인 접근을 해야함.

1 서론

일반적으로 암 환자는 질병 자체 및 항암 치료에 과정에 의해 영양 실조가 발생할 위험이 높음.[1,2] 암 환자의 영양 실조는 연구에 따라 약 20~70%까지 다양하며 환자 연령, 암 유형 및 암 병기와 관련이 있는 것으로 보고 되고 있음.[3, 4] 특히 위장관, 두경부, 간암 및 폐암 환자는 영양 실조의 위험이 높음. 암 환자에서 10 ~ 20%는 암 자체보다는 영양 실조에 의해 사망하는 것으로 보고 되고 있음.[5] 유럽에서 시행한 최근 연구에 따르면 영양 실조의 위험에 처한 암 환자의 30~60%만이 실제로 영양 지원을 받았음.[6] 또 다른 연구에서는 의사들은 암 관련 영양 상태의 심각성을 40 %의 사례에서 과소평가한 것으로 나타났고, 결과적으로 많은 심각한 영양 실조 환자들이 적절한 영양지원을 받지 못하고 있는 실정임.[7]

암환자에서는 음식섭취감소, 에너지 및 단백질 요구량 증가, 신체활동감소로 인한 단백동화작용 감소 등으로 인하여 영양결핍이 일어나게 됨. 영양 섭취 부족은 중추 신경계에서 발생하는 식욕 부진에 의해 일차성으로 음식물 섭취가 감소하게 되고, 암 치료(항암화학요법, 방사선요법, 수술)에 의해 발생하는 구강 궤양, 구강 건조증, 치열, 장 폐색, 흡수 장애, 변비, 설사, 오심, 구토, 장의 운동성 감소, 입맛 변화, 통증 및 약물 부작용 등의 이차성 요인이 복합적으로 작용하게 됨.[2, 8] 최근 연구 결과에 따르면 낮은 체질량 지수와 체중 감소량은 독립적으로 암환자의 생존률에 나쁜 영향을 끼친다고 보고되었음.[9]

암환자에서의 영양결핍은 근손실로 이어지며, 이는 삶의 질을 떨어뜨리고 신체 기능과 치료 순응도를 악화시킴. 5 퍼센타일 미만의 근력을 심각한 근손실로 분류하며 이는 암 환자의 사망률뿐만 아니라 수술 후 합병증 발생 및 항암치료시 독성 발생과도 밀접하게 관련되어 있음.[10, 11] 따라서 영양 및 대사 요법은 근육량의 유지 및 증가를 목표로 삼아야 함.

Absolute muscularity below the 5th percentile
- mid upper-arm muscle area by anthropometry (men<32 cm^2, women<18 cm^2)
- appendicular skeletal muscle index determined by dual energy x-ray absorptiometry (men<7.26 kg/m^2; women <5.45 kg/m^2)
- lumbar skeletal muscle index determined from oncological CT imaging (men<55 cm^2/m^2; women<39 cm^2/m^2)
- whole body fat-free mass index without bone determined by bioelectrical impedance (men<14.6 kg/m^2; women<11.4 kg/m^2).

전신성 염증 증후군은 암 환자에서 체중 감소, 신체 기능의 저하, 피로, 통증, 우울증 등을 일으키며 모든 대사 경로에 영향을 미침.

– 단백질 대사: 단백질 회전율 변화, 지방 및 근육량 감소, 급성기 단백질 생성 증가.

– 탄수화물 대사: 인슐린 저항성, 내당능 장애 발생.

– 지질 대사: 지질 산화 용량 유지되거나 오히려 증가.

전신성 염증 증후군은 삶의 질뿐만 아니라 생존율에도 영향을 미치므로 염증 관련 표지자를 이용하여 암환자의 예후를 예측할 수 있음(elevated C-reactive protein, hypoalbuminemia, elevated neutrophil counts, low lymphocyte counts, high neutrophil-to-lymphocyte ratio).

따라서 암 환자에 있어서 영양 지원은 영양요법 뿐만 아니라 통증 및 증상 조절, 약물치료, 운동요법 등과 같이 포괄적인 접근이 이루어져야 함.

암환자의 영양치료 지침[12]

- 환자의 암 치료 초기에 각 환자의 영양 상태를 선별함.
- 가능한 한 조기에 식욕 부진, 악액질 및 근육감소증의 징후를 확인함.
- 영양 실조 및 근육감소증의 조기 발견을 위해 영상 검사 (전산화 단층 촬영 및 기타)을 통해 근육량을 정확하게 측정함.
- 특정 biomarkers (CRP, 알부민)를 사용하여 암 관련 전신 염증의 중증도를 평가함.
- 각 환자별 에너지 및 단백질 요구량를 평가하기 위해 간접 열량계를 이용하여 안정 에너지 소비량(resting energy expenditure, REE)을 측정함.
- 암 치료에 있어 영양 지원에 많은 비중을 할애하여 염증을 줄이고 제지방 체중을 회복시킴.
- 재활 치료 계획 수립 및 모니터를 위해 신체 기능을 정기적으로 평가함.

1. 영양선별과 평가

초기에 영양 장애를 파악하기 위해서는 영양 상태, 체중 변화 및 체질량 지수를 암 진단 시점부터 정기적으로 평가하는 것이 필요함. 영양선별검사의 종류로는 Nutrition Risk Screening 2002 (NRS-2002), Malnutrition Universal Screening Tool (MUST), Malnutrition Screening Tool (MST), Mini Nutritional Assessment Short Form Revised 등이 있음.[13] 선별 검사에서 이상이 있을 경우 섭취량, 증상, 근육량, 신체 능력 및 전신 염증 정도에 대한 객관적이고 정량적 인 평가를 시행해야 함. 평가는 주기적으로 반복되어야 하며 이는 치료로 이어져야 함. 선별검사 방법에는 여러가지가 있지만 Subjective Global Assessment (SGA), Patient-Generated Subjective Global Assessment (PG-SGA), Minimal Nutrition Assessment (MNA) 등이 많이 쓰이고 있음.[14, 15]

2. 영양공급

식이 섭취가 부족할 경우 만성 영양 실조가 발생함. 안정된 영양 상태를 유지하기 위해서는 휴식 에너지 소비(REE), 신체 활동 등을 고려한 환자의 에너지 요구량을 충족시켜야 함. 암환자에서는 REE가 정상인에 비해 높게 측정되는 경우가 많지만 신체활동의 감소로 인해 총 에너지 소비량(TEE)은 정상인보다 낮게 나타남. 그러나 에너지 섭취량이 부족할 경우 체중감량이 악화될 수 있기 때문에 암환자의 에너지 요구량은 정상인과 유사한 것으로 가정하여 영양공급을 계획하는 것이 좋음. 전신성 염증 증후군이 있는 암환자에서는 고열량을 공급하더라도 체중증가에 실패하는 경우가 많고 오히려 과영양으로 신체 대사에 이상을 초래할 수 있음. 이를 바탕으로 양성 및 악성 질환을 앓고 있는 모든 환자에게 올바른 영양 섭취 계획을 세우는 것이 필요함.

암 환자의 총 에너지 소비는 일반적으로 25–30 kcal/kg/day로 권장함. 최근 연구에 따르면 암환자에서 단백질 섭취가 증가하면 근육의 단백질 동화작용이 촉진되는 것으로 보고됨.[16] 일반적으로 신체활동이 저하되어 있거나 전신성 염증이 있는 환자의 경우 1.2–2 g/kg/day의 단백질을 섭취하도록 권고됨.[17,18]. 암환자에서는 근육의 단백 합성이 정상인과 비슷하거나 오히려 증가되어 있기 때문에[19], 고단백 식이를 하는 것이 도움이 될 수 있음. 신장기능이 정상인 암환자에서는 단백질 섭취량은 2 g/kg/day까지 안전한 것으로 보고되고 있지만[20], 신부전 환자에서는 단백질 공급이 각각 1.0–1.2 g/kg/day를 초과해서는 안됨.[21]

인슐린 저항성 환자에서는 근육 세포에 의한 포도당의 흡수 및 산화가 저하되어 있지만, 지방의 이용은 정상이거나 증가되어 있기 때문에 지방 섭취 비율을 높이는 것이 도움이 됨. 또한 지방의 비율을 높이는 것은 에너지 밀도를 올릴 수 있기 때문에 식욕 감퇴가 있는 암환자에서 도움이 됨. 그러나 soybean–based lipid emulsion은 염증성 에이코사노이드를 발생시키는 $\omega-6$ PUFA 함량이 높기 때문에 조심하여야 함.[22] $\omega-3$ 지방산은 $\omega-6$ 지방산과 경쟁적으로 길항하여 PGE2 생산을 하향 조정하고 peroxisomal proliferator-activated receptors를 활성화시키고 염증 과정에 관여하는 유전자의 활성화를 억제하며, 염증 활동을 줄일 수 있기 때문에 좋은 대안이 될 수 있음.[23, 24]

암환자에서 비타민과 미네랄은 일일 권장량 수준으로 복용하는 것이 유용함.[25, 26] 특정 결핍이 있지 않는 이상, 고용량 미량 영양소의 사용을 권장하지 않음. 암환자에서 비타민D 결핍이 자주 관찰되기는 하지만 비타민D의 보충이 암환자의 예후를 향상시킨다는 보고는 없음.

3. 영양중재

암환자에서의 영양실조는 예후가 좋지 않기 때문에 식사가 가능하지만 영양 실조가 있거나, 영양 실조의 위험이 있는 환자에서 영양 중재가 늦지 않게 주의가 필요함.[27, 28] 영양 중재에는 식이 요법이나 음식 섭취를 방해하는 증상 및 장애의 치료, 영양 보충제(ONS) 제공 등이 포함됨.

영양 지원의 첫 번째 형태는 증상을 조절하고 열량이 풍부한 식품 및 음료를 섭취하도록 도와주는 영양 상담임. 영양 상태를 유지하거나 향상시키기 위해 고열량 고단백 식이 요법을 사용함. 이러한 식이요법이 영양 상태를 개선하지 못한다면 ONS를 추가로 사용하는 것이 좋음. 영양중재(영양상담, ONS) 후에도 영양 섭취가 충분하지 않다면 경장영양을 먼저 시도하고, 경장영양에 충분치 않거나 불가능할 경우 경정맥 영양을 시작함.

영양결핍이 심한 환자에서 영양중재를 시작할 경우 refeeding syndrome을 주의해야함. refeeding syndrome은 저인산혈증, 저칼륨혈증 및 저마그네슘혈증으로 나타나며 포도당, 단백질 및 지방대사의 변화, 티아민 결핍 등이 동반됨. 이는 심장 및 신경학적 이상을 포함하는 심각한 합병증을 일으킬 수 있음.[29, 30] 영양결핍이 심한 환자에서는 첫 2 일 동안은 에너지 요구량의 절반을 넘지 않는 것이 좋음. 초기 에너지 공급량은 5-10 kcal/kg/day를 초과하지 않아야 하며, 4-7일에 걸쳐 에너지 섭취량을 서서히 늘려 나가야 함.

4. 운동요법

암 환자의 근육량, 신체 기능 및 대사을 유지하기 위해 신체 활동량을 유지하거나 증가시키는 것이 좋음. 최근 메타분석에 의하면 암환자에서도 정상인 수준의 신체활동을 유지하는 것이 안전한 것으로 보고됨.[31] 중등도의 강도로(최대심박수의 50~75%), 일주일에 3번, 회당 10~60분의 운동을 하는 것이 권장됨. 암 환자에서 운동요법은 심폐 능력, 근력, 및 삶의 질, 자존감을 증진시키고 피로 및 불안을 감소시키는 것으로 보고됨.[32, 33]

5. 약물요법

식욕 감퇴가 있는 암 환자에서 식욕을 증가시키기 위해 부신피질호르몬이나 프로게스틴을 사용해볼 수 있음. 부신피질 호르몬의 식욕촉진 효과는 일시적이며 몇 주 후에 사라짐.[34, 35] 또한 인슐린 저항성, 근육량 감소, 면역 억제 등의 부작용이 있기 때문에 기대 여명이 얼마 남지 않은 환자에게 적합함. 프로게스틴(megestrol acetate and medroxyprogesterone acetat)는 식욕과 체중을 증가시키지만 제지방체중을 증가시키진 못하고 부작용으로는 발기부전, 혈전색전증을 일으킬 수 있음.[36]

항암화학 요법을 받는 환자에서 체중 감소 또는 영양 실조의 위험이 있을 경우 long-chain $\omega-3$ fatty acids or fish oil 을 사용하여 식욕, 음식 섭취량, 제지방 체중을 유지하거나 개선할 수 있음. Fish oil (4-6g/day, $\omega-3$ 지방산으로 1-2g/day)는 암 환자의 염증반응을 감소시키며 염증 표지자(interleukin 6 또는 C- 반응성 단백질)과 휴식 에너지 소비량이 감소되는 것을 확인할 수 있음.[37, 38]

조기 포만감을 호소하는 환자의 경우 변비를 우선 감별한 후에 장운동촉진제를 고려해야함. metoclopramide나 domperidone은 위 배출을 자극하고 조기 포만감을 개선하기 효과적임.[39, 40] 그러나 metoclopramide는 졸음, 우울증, 환각 및 추체외로 증상을 일으킬 수 있고 domperidone은 QT prolongation 및 torsade de pointes tachycardia를 일으킬 수 있으므로 부작용에 주의하여야 함.

3   암치료 방법에 따른 영양지원

1. 수술

수술을 받는 모든 암 환자의 경우 수술 후 조기 회복 프로그램 (ERAS)을 적용하도록 권장됨.[41] 수술 전 영양 선별검사를 시행하고, 위험이 있다고 판단될 경우 추가적인 영양 지원을 받아야함. 반복된 수술을 받는 환자의 경우에도 각 수술마다 조기 회복 프로그램을 적용하는 것이 좋음. 영양 실조의 위험이 있거나 이미 영양 결핍 상태에 있는 환자의 경우 병원 입원에서 퇴원 후까지 지속적으로 적절한 영양 지원을 해야 함. 상부위장관 암 환자에서는 면역영양지원(arginine, ω -3 fatty acids, nucleotides)을 하는 것이 수술 후 감염성 합병증 발생을 낮추는 것으로 보고됨.[42]

2. 방사선요법

두경부 암이나 식도암에서 방사선 요법을 받는 환자의 80%가 점막염 및 식욕부진, 체중감소를 경험함.[43, 44] 또한 골반내 방사선 요법에서도 위장관증상을 호소하는 환자가 80%까지 보고됨.[45] 따라서 방사선 요법을 받는 동안에는 개별 영양 상담 및 경구 영양 보충제 (ONS) 사용으로 적절한 영양 섭취를 유지하여 영양 결핍을 방지하는 것이 중요함. 심한 점막염이 있거나 두경부 및 흉부암으로 경구 섭취가 불가능한 경우 급식용 관을 사용하여 경장 영양을 하는 것이 좋음.

두경부암 치료 중 30~50% 환자에서 연하곤란이 발생함.[46] 이러한 환자들은 폐렴 및 패혈증이 발생할 위험이 있기 때문에 연하곤란을 조기에 발견하여 관리하는 것이 필요함. 방사선 유발성 장염을 줄이기 위해 글루타민 및 프로바이오틱스 사용하는 연구들이 있지만 아직까지는 근거가 부족함. 방사선 요법을 받는 환자에서 무조건적인 경정맥 영양은 지양하되, 중등도 이상의 방사선 장염 또는 흡수 장애가 있는 환자에게는 선택적으로 적용할 수 있음.

3. 항암화학요법

항암화학요법 전 체중감소 및 근육량 감소가 있는 환자는 항암제 독성이 나타날 위험이 증가하고 이는 삶의 질 저하 및 생존률 감소까지 이어짐.[47] 따라서 항암화학요법을 받는 환자는 주기적으로 영양 선별검사 및 평가를 시행하여 적극적인 영양중재가 필요함. 경구 섭취가 불충분한 경우에만 경장 영양 및 경정맥 영양을 사용함. 항암화학요법의 부작용을 감소시키기 위해 글루타민을 사용하는 연구들이 있지만 아직까지는 근거가 부족함.

4. 암생존자

적절한 운동은 암생존자의 체력 및 기능을 효과적으로 향상시킬 수 있음. 운동이 재발률을 감소시키고 생존율을 높인다는 연구도 있지만 아직 근거가 부족함. 암 생존자는 최소 30분에서 1

시간 가량 중등도 이상의 운동을 주 5일 이상 하는 것이 권장됨.[48] 또한 적정 체중을 유지하고(BMI 18.5~25 kg/m²) 채소, 과일, 통곡물 위주의 식단을 유지하면서 포화지방, 붉은 고기, 술을 줄이는 것이 중요함. [49, 50]

4 　결론

　영양 결핍과 근손실은 암 환자에서 빈번하게 발생하며 이는 치료 결과 및 환자의 삶의 질에 부정적인 영향을 미침. 따라서 이를 선별하고 모니터링하여 치료하는 것이 암 환자를 치료하는 데 있어서 중요함. 모든 암 환자는 영양 결핍과 관련된 요소를 정기적으로 검사해야 하며 필요시 영양 중재 등을 통해 적절히 치료가 이루어져야 함.

참고문헌

1. Wie GA, Cho YA, Kim SY, Kim SM, Bae JM, Joung H. Prevalence and risk factors of malnutrition among cancer patients according to tumor location and stage in the National Cancer Center in Korea. Nutrition. 2010;26(3):263-8. Epub 2009/08/12. doi: 10.1016/j.nut.2009.04.013. PubMed PMID: 19665873.

2. Ryan AM, Power DG, Daly L, Cushen SJ, Ni Bhuachalla E, Prado CM. Cancer-associated malnutrition, cachexia and sarcopenia: the skeleton in the hospital closet 40 years later. Proc Nutr Soc. 2016;75(2):199-211. Epub 2016/01/21. doi: 10.1017/S002966511500419X. PubMed PMID: 26786393.

3. Hebuterne X, Lemarie E, Michallet M, de Montreuil CB, Schneider SM, Goldwasser F. Prevalence of malnutrition and current use of nutrition support in patients with cancer. JPEN J Parenter Enteral Nutr. 2014;38(2):196-204. Epub 2014/04/22. doi: 10.1177/0148607113502674. PubMed PMID: 24748626.

4. Silva FR, de Oliveira MG, Souza AS, Figueroa JN, Santos CS. Factors associated with malnutrition in hospitalized cancer patients: a croos-sectional study. Nutr J. 2015;14:123.

Epub 2015/12/15. doi: 10.1186/s12937-015-0113-1. PubMed PMID: 26652158; PubMed Central PMCID: PMCPMC4676158.

5.   Pressoir M, Desne S, Berchery D, Rossignol G, Poiree B, Meslier M, et al. Prevalence, risk factors and clinical implications of malnutrition in French Comprehensive Cancer Centres. Br J Cancer. 2010;102(6):966-71. Epub 2010/02/18. doi: 10.1038/sj.bjc.6605578. PubMed PMID: 20160725; PubMed Central PMCID: PMCPMC2844030.

6.   Planas M, Alvarez-Hernandez J, Leon-Sanz M, Celaya-Perez S, Araujo K, Garcia de Lorenzo A, et al. Prevalence of hospital malnutrition in cancer patients: a sub-analysis of the PREDyCES(R) study. Support Care Cancer. 2016;24(1):429-35. Epub 2015/06/24. doi: 10.1007/s00520-015-2813-7. PubMed PMID: 26099900.

7.   Attar A, Malka D, Sabate JM, Bonnetain F, Lecomte T, Aparicio T, et al. Malnutrition is high and underestimated during chemotherapy in gastrointestinal cancer: an AGEO prospective cross-sectional multicenter study. Nutr Cancer. 2012;64(4):535-42. Epub 2012/04/13. doi: 10.1080/01635581.2012.670743. PubMed PMID: 22494155.

8. Arends J, Bachmann P, Baracos V, Barthelemy N, Bertz H, Bozzetti F, et al. ESPEN guidelines on nutrition in cancer patients. Clin Nutr. 2017;36(1):11-48. Epub 2016/09/18. doi: 10.1016/j.clnu.2016.07.015. PubMed PMID: 27637832.

9. Martin L, Senesse P, Gioulbasanis I, Antoun S, Bozzetti F, Deans C, et al. Diagnostic criteria for the classification of cancer-associated weight loss. J Clin Oncol. 2015;33(1):90-9. Epub 2014/11/26. doi: 10.1200/JCO.2014.56.1894. PubMed PMID: 25422490.

10. Baracos V, Kazemi-Bajestani SM. Clinical outcomes related to muscle mass in humans with cancer and catabolic illnesses. Int J Biochem Cell Biol. 2013;45(10):2302-8. Epub 2013/07/04. doi: 10.1016/j.biocel.2013.06.016. PubMed PMID: 23819995.

11. Martin L, Birdsell L, Macdonald N, Reiman T, Clandinin MT, McCargar LJ, et al. Cancer cachexia in the age of obesity: skeletal muscle depletion is a powerful prognostic factor, independent of body mass index. J Clin Oncol. 2013;31(12):1539-47. Epub 2013/03/27. doi: 10.1200/JCO.2012.45.2722. PubMed PMID: 23530101.

12. Arends J, Baracos V, Bertz H, Bozzetti F, Calder PC, Deutz NEP, et al. ESPEN expert group recommendations for

action against cancer-related malnutrition. Clin Nutr. 2017;36(5):1187-96. Epub 2017/07/12. doi: 10.1016/j.clnu.2017.06.017. PubMed PMID: 28689670.

13. Isenring E, Elia M. Which screening method is appropriate for older cancer patients at risk for malnutrition? Nutrition. 2015;31(4):594-7. Epub 2015/03/17. doi: 10.1016/j.nut.2014.12.027. PubMed PMID: 25770324.

14. Bauer J, Capra S, Ferguson M. Use of the scored Patient-Generated Subjective Global Assessment (PG-SGA) as a nutrition assessment tool in patients with cancer. Eur J Clin Nutr. 2002;56(8):779-85. Epub 2002/07/18. doi: 10.1038/sj.ejcn.1601412. PubMed PMID: 12122555.

15. Gabrielson DK, Scaffidi D, Leung E, Stoyanoff L, Robinson J, Nisenbaum R, et al. Use of an abridged scored Patient-Generated Subjective Global Assessment (abPG-SGA) as a nutritional screening tool for cancer patients in an outpatient setting. Nutr Cancer. 2013;65(2):234-9. Epub 2013/02/28. doi: 10.1080/01635581.2013.755554. PubMed PMID: 23441610.

16. Baracos VE. Skeletal muscle anabolism in patients with advanced cancer. Lancet Oncol. 2015;16(1):13-4. Epub 2014/12/20. doi: 10.1016/S1470-2045(14)71185-4. PubMed

PMID: 25524803.

17. Guadagni M, Biolo G. Effects of inflammation and/or inactivity on the need for dietary protein. Curr Opin Clin Nutr Metab Care. 2009;12(6):617-22. Epub 2009/09/11. doi: 10.1097/MCO.0b013e32833193bd. PubMed PMID: 19741515.

18. Haran PH, Rivas DA, Fielding RA. Role and potential mechanisms of anabolic resistance in sarcopenia. J Cachexia Sarcopenia Muscle. 2012;3(3):157-62. Epub 2012/05/17. doi: 10.1007/s13539-012-0068-4. PubMed PMID: 22589021; PubMed Central PMCID: PMCPMC3424190.

19. MacDonald AJ, Johns N, Stephens N, Greig C, Ross JA, Small AC, et al. Habitual Myofibrillar Protein Synthesis Is Normal in Patients with Upper GI Cancer Cachexia. Clin Cancer Res. 2015;21(7):1734-40. Epub 2014/11/06. doi: 10.1158/1078-0432.CCR-14-2004. PubMed PMID: 25370466.

20. Martin WF, Armstrong LE, Rodriguez NR. Dietary protein intake and renal function. Nutr Metab (Lond). 2005;2:25. Epub 2005/09/22. doi: 10.1186/1743-7075-2-25. PubMed PMID: 16174292; PubMed Central PMCID: PMCPMC1262767.

21. Cano N, Fiaccadori E, Tesinsky P, Toigo G, Druml W, Dgem, et al. ESPEN Guidelines on Enteral Nutrition: Adult renal

failure. Clin Nutr. 2006;25(2):295-310. Epub 2006/05/16. doi: 10.1016/j.clnu.2006.01.023. PubMed PMID: 16697495.

22. Vanek VW, Borum P, Buchman A, Fessler TA, Howard L, Jeejeebhoy K, et al. A.S.P.E.N. position paper: recommendations for changes in commercially available parenteral multivitamin and multi-trace element products. Nutr Clin Pract. 2012;27(4):440-91. Epub 2012/06/26. doi: 10.1177/0884533612446706. PubMed PMID: 22730042.

23. Cabrero A, Laguna JC, Vazquez M. Peroxisome proliferator-activated receptors and the control of inflammation. Curr Drug Targets Inflamm Allergy. 2002;1(3):243-8. Epub 2003/10/17. PubMed PMID: 14561188.

24. Zhao Y, Joshi-Barve S, Barve S, Chen LH. Eicosapentaenoic acid prevents LPS-induced TNF-alpha expression by preventing NF-kappaB activation. J Am Coll Nutr. 2004;23(1):71-8. Epub 2004/02/14. PubMed PMID: 14963056.

25. Strohle A, Zanker K, Hahn A. Nutrition in oncology: the case of micronutrients (review). Oncol Rep. 2010;24(4):815-28. Epub 2010/09/03. PubMed PMID: 20811659.

26. Rock CL, Doyle C, Demark-Wahnefried W, Meyerhardt J, Courneya KS, Schwartz AL, et al. Nutrition and physical

activity guidelines for cancer survivors. CA Cancer J Clin. 2012;62(4):243-74. Epub 2012/04/28. doi: 10.3322/ caac.21142. PubMed PMID: 22539238.

27. Fearon K, Strasser F, Anker SD, Bosaeus I, Bruera E, Fainsinger RL, et al. Definition and classification of cancer cachexia: an international consensus. Lancet Oncol. 2011;12(5):489-95. Epub 2011/02/08. doi: 10.1016/S1470-2045(10)70218-7. PubMed PMID: 21296615.

28. Muscaritoli M, Anker SD, Argiles J, Aversa Z, Bauer JM, Biolo G, et al. Consensus definition of sarcopenia, cachexia and pre-cachexia: joint document elaborated by Special Interest Groups (SIG) "cachexia-anorexia in chronic wasting diseases" and "nutrition in geriatrics". Clin Nutr. 2010;29(2):154-9. Epub 2010/01/12. doi: 10.1016/j.clnu.2009.12.004. PubMed PMID: 20060626.

29. Mehanna HM, Moledina J, Travis J. Refeeding syndrome: what it is, and how to prevent and treat it. BMJ. 2008;336(7659):1495-8. Epub 2008/06/28. doi: 10.1136/bmj. a301. PubMed PMID: 18583681; PubMed Central PMCID: PMCPMC2440847.

30. Marinella MA. Refeeding syndrome: an important aspect of supportive oncology. J Support Oncol. 2009;7(1):11-6. Epub

2009/03/13. PubMed PMID: 19278172.

31. Jones LW, Alfano CM. Exercise-oncology research: past, present, and future. Acta Oncol. 2013;52(2):195-215. Epub 2012/12/19. doi: 10.3109/0284186X.2012.742564. PubMed PMID: 23244677.

32. Speck RM, Courneya KS, Masse LC, Duval S, Schmitz KH. An update of controlled physical activity trials in cancer survivors: a systematic review and meta-analysis. J Cancer Surviv. 2010;4(2):87-100. Epub 2010/01/07. doi: 10.1007/s11764-009-0110-5. PubMed PMID: 20052559.

33. Stene GB, Helbostad JL, Balstad TR, Riphagen, II, Kaasa S, Oldervoll LM. Effect of physical exercise on muscle mass and strength in cancer patients during treatment--a systematic review. Crit Rev Oncol Hematol. 2013;88(3):573-93. Epub 2013/08/13. doi: 10.1016/j.critrevonc.2013.07.001. PubMed PMID: 23932804.

34. Yavuzsen T, Davis MP, Walsh D, LeGrand S, Lagman R. Systematic review of the treatment of cancer-associated anorexia and weight loss. J Clin Oncol. 2005;23(33):8500-11. Epub 2005/11/19. doi: 10.1200/JCO.2005.01.8010. PubMed PMID: 16293879.

35. Paulsen O, Klepstad P, Rosland JH, Aass N, Albert E, Fayers

P, et al. Efficacy of methylprednisolone on pain, fatigue, and appetite loss in patients with advanced cancer using opioids: a randomized, placebo-controlled, double-blind trial. J Clin Oncol. 2014;32(29):3221-8. Epub 2014/07/09. doi: 10.1200/JCO.2013.54.3926. PubMed PMID: 25002731.

36. Ruiz Garcia V, Lopez-Briz E, Carbonell Sanchis R, Gonzalvez Perales JL, Bort-Marti S. Megestrol acetate for treatment of anorexia-cachexia syndrome. Cochrane Database Syst Rev. 2013(3):CD004310. Epub 2013/04/02. doi: 10.1002/14651858.CD004310.pub3. PubMed PMID: 23543530; PubMed Central PMCID: PMCPMC6418472.

37. Finocchiaro C, Segre O, Fadda M, Monge T, Scigliano M, Schena M, et al. Effect of n-3 fatty acids on patients with advanced lung cancer: a double-blind, placebo-controlled study. Br J Nutr. 2012;108(2):327-33. Epub 2011/11/26. doi: 10.1017/S0007114511005551. PubMed PMID: 22114792.

38. Mocellin MC, Camargo CQ, Nunes EA, Fiates GMR, Trindade E. A systematic review and meta-analysis of the n-3 polyunsaturated fatty acids effects on inflammatory markers in colorectal cancer. Clin Nutr. 2016;35(2):359-69. Epub 2015/05/20. doi: 10.1016/j.clnu.2015.04.013. PubMed PMID: 25982417.

39. Bruera E, Belzile M, Neumann C, Harsanyi Z, Babul N, Darke A. A double-blind, crossover study of controlled-release metoclopramide and placebo for the chronic nausea and dyspepsia of advanced cancer. J Pain Symptom Manage. 2000;19(6):427-35. Epub 2000/07/26. PubMed PMID: 10908823.

40. Chial HJ, McAlpine DE, Camilleri M. Anorexia nervosa: manifestations and management for the gastroenterologist. Am J Gastroenterol. 2002;97(2):255-69. Epub 2002/02/28. doi: 10.1111/j.1572-0241.2002.05452.x. PubMed PMID: 11866259.

41. Gustafsson UO, Scott MJ, Schwenk W, Demartines N, Roulin D, Francis N, et al. Guidelines for perioperative care in elective colonic surgery: Enhanced Recovery After Surgery (ERAS((R))) Society recommendations. World J Surg. 2013;37(2):259-84. Epub 2012/10/12. doi: 10.1007/s00268-012-1772-0. PubMed PMID: 23052794.

42. Marimuthu K, Varadhan KK, Ljungqvist O, Lobo DN. A meta-analysis of the effect of combinations of immune modulating nutrients on outcome in patients undergoing major open gastrointestinal surgery. Ann Surg. 2012;255(6):1060-8. Epub 2012/05/03. doi: 10.1097/

SLA.0b013e318252edf8. PubMed PMID: 22549749.

43. Odelli C, Burgess D, Bateman L, Hughes A, Ackland S, Gillies J, et al. Nutrition support improves patient outcomes, treatment tolerance and admission characteristics in oesophageal cancer. Clin Oncol (R Coll Radiol). 2005;17(8):639-45. Epub 2005/12/24. PubMed PMID: 16372491.

44. van den Berg MG, Rasmussen-Conrad EL, Wei KH, Lintz-Luidens H, Kaanders JH, Merkx MA. Comparison of the effect of individual dietary counselling and of standard nutritional care on weight loss in patients with head and neck cancer undergoing radiotherapy. Br J Nutr. 2010;104(6):872-7. Epub 2010/05/06. doi: 10.1017/S0007114510001315. PubMed PMID: 20441684.

45. Khalid U, McGough C, Hackett C, Blake P, Harrington KJ, Khoo VS, et al. A modified inflammatory bowel disease questionnaire and the Vaizey Incontinence questionnaire are more sensitive measures of acute gastrointestinal toxicity during pelvic radiotherapy than RTOG grading. Int J Radiat Oncol Biol Phys. 2006;64(5):1432-41. Epub 2006/04/04. doi: 10.1016/j.ijrobp.2005.10.007. PubMed PMID: 16580497.

46. Schindler A, Denaro N, Russi EG, Pizzorni N, Bossi P, Merlotti A, et al. Dysphagia in head and neck cancer

patients treated with radiotherapy and systemic therapies: Literature review and consensus. Crit Rev Oncol Hematol. 2015;96(2):372-84. Epub 2015/07/05. doi: 10.1016/j.critrevonc.2015.06.005. PubMed PMID: 26141260.

47. Prado CM, Baracos VE, McCargar LJ, Mourtzakis M, Mulder KE, Reiman T, et al. Body composition as an independent determinant of 5-fluorouracil-based chemotherapy toxicity. Clin Cancer Res. 2007;13(11):3264-8. Epub 2007/06/05. doi: 10.1158/1078-0432.CCR-06-3067. PubMed PMID: 17545532.

48. Pekmezi DW, Demark-Wahnefried W. Updated evidence in support of diet and exercise interventions in cancer survivors. Acta Oncol. 2011;50(2):167-78. Epub 2010/11/26. doi: 10.3109/0284186X.2010.529822. PubMed PMID: 21091401; PubMed Central PMCID: PMCPMC3228995.

49. Wang X, Ouyang Y, Liu J, Zhu M, Zhao G, Bao W, et al. Fruit and vegetable consumption and mortality from all causes, cardiovascular disease, and cancer: systematic review and dose-response meta-analysis of prospective cohort studies. BMJ. 2014;349:g4490. Epub 2014/07/31. doi: 10.1136/bmj.g4490. PubMed PMID: 25073782; PubMed Central PMCID: PMCPMC4115152.

50. Gonzalez CA, Riboli E. Diet and cancer prevention: where we are, where we are going. Nutr Cancer. 2006;56(2):225-31. Epub 2007/05/04. doi: 10.1207/s15327914nc5602_14. PubMed PMID: 17474869.

10

병적비만수술
환자에서의 영양지원

병적비만수술 환자에서의 영양지원

- 병적비만환자는 수술 전부터 이미 정의상 영양불량 상태.
- 병적비만의 치료 중 체중감량의 효과와 유지에서 가장 효과있는 치료법은 수술임.
- 수술 후에는 수술로 인한 위용적의 감소, 흡수면적의 감소로 인해 주영양소 뿐 아니라 미세영양소의 결핍이 생김.
- 비만수술환자에게서 특이한 영양결핍상태에 대한 이해가 필요하며, 이는 외과의사 단독의 노력이 아닌 다학제팀의 유기적인 협력이 필요함.

1 비만의 정의와 치료

우리나라에서 19세 이상 성인의 비만을 체질량지수 25 kg/m² 이상으로 정의하며, 체질량지수 30 kg/m² 이상을 병적비만이라 지칭함. 비만치료는 일차적으로 식사요법, 운동요법, 약물치료

등을 우선적으로 시행. 하지만 이런 비수술적 방법으로 체중감소에 실패하는 경우 수술적 치료를 고려함.

2   비만수술 (Bariatric Surgery)

1. 적응증

우리나라에서 적용되는 비만수술의 적응증(보험적용기준) (2019년 1월 1일 기준)

- BMI≥35 kg/m²이거나, BMI≥30 kg/m²이면서 합병증을 동반한 경우 (고혈압, 저환기증, 수면무호흡증, 관절질환, 비알콜성지방간, 위식도역류증, 제2형 당뇨, 고지혈증, 천식, 심근병증, 관상동맥질환, 다낭성난소증후군, 가뇌종양 (pseudotumor cerebri))

- 기존 내과적 치료 및 생활습관 개선으로도 혈당조절이 되지 않는 27.5 kg/m²≤BMI<30 kg/m²인 제2형 당뇨환자에게 위소매절제술 및 비절제 루와이형 문합 위우회술을 시행하는 경우(이 경우 「선별급여 지정 및 실시 등에 관한 기준」에 따라 본인부담률 80%로 적용함.)

---

2. 비만수술의 방법

- 섭취제한술식(restrictive procedure)과 흡수제한술식(malabsorptive procedure)

- 현재 가장 많이 시행하는 수술법은 위소매절제술(sleeve gastrectomy)과 루와이 위 우회술(Roux-en-Y gastric bypass)이 대표적 임(그림 1).

Bariatric Surgery

 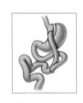

Biliopancreatic diversion(BPP) 담췌전환술 | Gastric Bypass (GBP) 위우회술 | Sleeve gastrectomy (SG) 위소매절제술 | Gastric banding 위밴드술

그림 1. 비만수술의 종류

3 비만대사 수술 전 영양관리

1) 수술 전 체중감소의 중요성

- 병적비만 수술 전 체중감량은 간비대를 감소시키고, 내장지방의 감소로 수술을 쉽게 할 수 있으며, 수술시간을 줄이고, 수술 후 합병증을 감소시킴.
- 수술 전 체중감량을 위해서는 영양사상담을 통하여 수술

전 식습관 교정과 적절한 운동을 통한 생활습관 개선이
선행되어야 함.

2) 수술 전 영양소의 결핍교정

- 고도비만 환자에서 수술 전인데도, 섭취불균형 때문에
  비타민 B1, B6, C, D, 철, 구리, 아연 등의 무기질 결핍
  이 흔함.
- 이런 환자에서 수술을 하면 섭취제한과 흡수불량으로 인
  해 미량영양소의 결핍과 다량영양소의 결핍이 더욱 심각
  해질 수 있음.
- 수술 전이라도 각종 영양소의 모니터링이 필요하고, 영
  양제 보충이 필요함.

4 비만대사수술 후 영양지원의 필요성

- 비만수술 후 환자는 음식물의 섭취, 소화 및 흡수가 변하여
  이런 환자들에서 영양성합병증의 발생이 빈번함.
- 이유: 위용적이 줄고, 호르몬 변화로 인한 식욕억제 및 장관
  의 우회로 인한 흡수장애, 구토, 식욕부진, 배변습관의 변화,
  덤핑증후군이나 불량한 식사습관과 같은 소화기계문제 외
  에도 단백질 영양실조, 안과질환, 신경계질환등이 자주 발생

- 고도비만환자에서 체중감량을 통한 건강회복을 위해 수술 전 후에 영양관리는 매우 중요하며, 수술의 결과에 중대한 영향을 미침
- 이를 위해 프로토콜에 따라 전문영양사와 다학제의료진에 의해 체계적으로 영양치료가 진행되어야 함.[1]

5 비만대사 수술 후 영양관리[2]

- 고도비만 수술 후 영양관리는 합병증 예방과 감소된 체중의 유지를 위해 필수적.
- 단백질 보충요법, 비타민/무기질 보충, 충분한 수분공급 및 적절한 식사계획등이 포함.
- 수술 후 목표열량은 1일 1,000~1,400 kcal
- 탄수화물 공급: 일반적으로 1일 130g 정도 필요함. 복합탄수화물을 권장(정제당의 비율이 높으면 체중재증가, 덤핑증후군, 고혈당증의 원인)
- 무기질과 비타민과 같은 미세영양소의 보충 : 인체의 다양한 생물학적 과정에 필수적인 인자이며, 식욕, 영양소 흡수, 대사율, 지방 및 탄수화물 대사, 에너지 저장, 포도당 항상성 및 신경계 활동 등에 관여. 수술 후 페리틴, 헤모글로빈, 철분, 아연, 비타민 B12의 결핍이 늘어나며, 위소매절제술

보다는 루와이위우회술에서 더 심함.

비타민과 무기질의 결핍증상은 비특이적이서 결핍이 심할 때 증상이 나타나므로, 혈액검사를 통해 비타민/무기질의 상태를 주기적으로 모니터링 해야 함.

ASMBS 비타민/무기질 투여지침 "수술 후부터 매일 하루 섭취용량의 100%를 함유하는 고역가 종합비타민−무기질제제의 섭취와 함께 추가적으로 비타민 B12, 칼슘 및 철분제제의 섭취를 권고".

표 1. 비만수술 전후 영양소 모니터링

영양소	결핍증상	수술 전	수술 후 3개월	수술 후 6~9개월	매년
비타민 B1	정신혼란, 혼미, 다발성신경염, 메스꺼움, 구토, 변비	√	√	√	√
비타민 B12	빈혈, 신경병증, 인지장애	√	√	√	√
비타민 D	골다공증	√	√	√	√
칼슘	저칼슘혈증, 경직, 위경련	√	√	√	√
엽산	거대적아구성 빈혈 신경증상	√	√	√	√
철	피로감, 허약감, 불안감, 과민함, 피카(pica), 스푼형 손톱, 머리카락 갈라짐	√	√	√	√
비타민 A	야맹증, 안구건조증, 면역기능 감소				
비타민 K	출혈, 응고지연				(BPD/DS, RYGB)
아연	면역기능저하, 상처회복 지연, 식욕부진, 미각/후각 감퇴				(BPD/DS, RYGB)
구리	빈혈, 백혈구 감소				(BPD/DS, RYGB)

- 단백질 보충요법: 수술 후 식사섭취의 감소와 소화흡수장애 등으로 인해 단백질의 영양실조가 발생할 수 있음. 단백질 섭취가 부족하면 지방과 근육의 분해가 야기되어, 알부민 등의 간단백감소, 근육위축, 무력증, 탈모 및 빈혈 등이 발생. 이러한 섭취부족현상의 개선은 수술 후 1년 정도 걸림. [3]

> ASMBS 진료지침 " 체단백유지를 위해 1일 60~80g 또는 이상체중(ideal body weight) 당 1.5 g의 단백질 섭취가 권고".

6 비만대사수술 후 철결핍성 빈혈

- 비만수술 후 흔히 발생하는 영양학적 문제점 중 하나
- 원인: 수술 전후의 실혈이나 월경, 위궤양등에 의한 출혈과 수술 후 식사량 감소 및 우회술에 따른 영양흡수환경의 변화에 의한 영양결핍 등
- 2013년에 발간된 ASMBS Nutrition Guideline에 따르면 수술과 관계없이 비만환자 자체의 철결핍성빈혈의 빈도가 높으며, 수술 전후로 반드시 확인할 것을 권고. 우회술은 20~55%에서, 소매절제술의 경우에도 18% 정도에서 발생

하고, 주기적으로 보충을 하는 경우에도 발생할 수 있으므로 주의해야 할 영양성 합병증으로 분류됨. [4]

• 시중에 시판되는 종합비타민제에 포함된 철분의 양으로는 권장량을 충족시키기 어려우므로 경구용 철분제를 공급하던지, 약제부작용으로 인해 복용이 어렵거나 효과가 없는 경우는 주사용 철분제의 공급이 필요.

ASMBS의 권장요구량

위험도가 낮은 환자(남자, 빈혈과거력 무) : 최소 18 mg의 철분

위험도가 높은 환자(월경하는 여자, 우회술) : 최소 45-60 mg의 철분

---

7 비만대사 수술 후 영양관리의 목적

수술 후 상처 회복과 체중감소가 급격히 진행되는 동안 제지방 체중(lean body mass)의 보존을 위해 적절한 열량과 영양소를 공급하고, 수술 후 발생할 수 있는 역류, 조기포만감, 덤핑증후군 등의 합병증을 최소화하는 것.

8 비만수술 후 흔히 발생하는 증상과 식사관리

증상	식사관리
메스꺼움, 구토	새로운 음식을 먹은 후 메스꺼움이나 구토가 있을 경우 며칠 중단했다가 다시 시도 너무 빨리 먹거나 많이 먹거나, 잘 씹지 않고 먹는 경우 메스꺼움과 구토가 나타날 수 있음
덤핑증후군	단순당 또는 지방이 많이 함유된 식품 섭취 시 메스꺼움, 구토, 어지러움, 식은 땀, 설사 등의 증상이 유발됨
어깨 및 가슴 상부의 통증	먹는 동안 통증이 있을 경우 일단 식사를 멈추고 통증이 가라 앉은 후 식사
탈수	수분섭취 부족으로 탈수가 초래될 수 있는데, 특히 지속적인 메스꺼움, 구토, 설사가 있을 경우 주의가 요구됨 1일 6컵 이상의 수분 섭취 권장
변비	수술 후 초기에는 일시적으로 변비가 나타날 수 있으나 음식 섭취량이 증가되면서 점차 해결됨 변비 재발 예방을 위해 과일 및 과일 주스 사용이 권장
설사	고섬유소식, 기름진 음식, 우유 및 유제품, 너무 뜨겁거나 찬 음식은 제한 소량씩 자주 먹고, 수분을 충분히 공급

9 비만수술 후 식사요법의 실제 (고신대학교복음병원 영양과)

1) 수술 후 식사요법의 원칙

특별히 가릴 음식은 없으나 소량으로 필요한 열량을 섭취할 수 있도록 고단백의 음식이 권장된다. 음식을 천천히 꼭꼭 씹어 먹는 습관을 가지도록 한다. 남아 있는 위의 부피가 작아지고, 음식을 잘게 가는 능력이 적으며 천천히 음식을 먹는 동안 포만감을 느낄 수 있게 되기 때문.

수술 후 4~6주간에 걸쳐 처음에는 유동식, 다음에는 혼합식, 이후에는 고형식으로 점차 진행하게 되며 음식의 양은 처음에는 몇 숟가락을 여러 차례 나누어 먹는 것에서 시작하여 이후에는 반 공기 정도의 양을 하루 5~6회 정도 섭취한다. 이후 차차 식사의 양을 한 숟가락 단위로 늘려가며 식사 횟수도 줄인다.

식욕은 대개 수술 후 6개월 정도에 돌아오는데 이때부터는 남은 위와 소장의 용적도 어느 정도 커져 있어서 과식을 하게 될 우려가 있다. 특히 수술 전 섭식 장애가 있어 폭식과 구토 등을 반복했던 적이 있으면 특별히 조심하여 위와 소장이 많이 늘어나지 않도록 주의해야 한다.

2) 수술 후 영양관리

(1) 탄수화물

　－ 통밀, 전곡류, 콩류, 저지방 유제품 및 과일, 채소 등 영양

　　밀도가 높은 복합탄수화물 권장

　- 덤핑증후군 예방을 위해 단당류 섭취 제한

(2) 단백질

　- 수술 후 상처회복과 제지방량 유지, 탈모 예방 등 위해

　- 수술 초기 단백질 보충제 섭취 권장

　- 식사 시 기름기 제거한 육류, 계란, 우유, 생선, 콩류, 두
　　부 등 권장

(3) 지방

　- 동물성 지방, 팜유 등 포화지방산 제한

　- 심혈관질환의 위험 감소, 지용성 비타민, 무기질 결핍 예
　　방위해 필수지방산이 풍부한 등푸른 생선, 견과류 등 섭
　　취 권장

(4) 무기질 및 비타민

　- 미량영양소의 공급은 수술 후 체중감량 및 유지에 중요
　　역할

　- 하루 섭취 용량에 맞는 종합비타민 - 무기질제제의 섭취
　　와 추가적으로 -비타민B12, 칼슘 및 철분제제의 섭취 권
　　고

(5) 수분

　- 탈수 예방 : 하루 2 L 이상 충분한 수분 섭취

　- 식사 전, 후 바로 섭취하지 않도록 주의(식후 30분 경과 후
　　섭취) -제한 음료 : 당분 포함 음료, 카페인 포함 음료

(6) 열량

- 수술 후 저열량, 저당질, 저지방, 고단백 식사 유지 및 －
  무기질, 비타민과 같은 미량영양소의 보충 필요
- 부작용 최소화를 위해 1회 음식 섭취량(50~100cc) 제한.
  －20~30분 이상 천천히 식사 진행

3) 수술 후 식단관리(ASPEN suggested dietary proceeding 참고) [5]

1단계 수술 후 1~2일	맑은 유동식 카페인이 없는 차, 맑은 미음, 육즙 등. 단순당이 포함된 음료 제외.
2단계 수술 후 1주	고단백 유동식 단백질 60~80 g/day 단백질 파우더 + 무지방우유(플레인요거트, 무가당 두유), 연두부, 계란찜 하루 6회/소량씩(1회 종이컵 1/2~1컵 이내) 나누어 섭취.
3단계 수술 후 2~3주	고단백 연식 열량 600~800 kcal/day, 단백질 60~80 g/day. 부드러운 생선살, 다진 육류, 두부, 계란 등 단백질 급원식품 단백질 파우더, 무지방 유제품, 부드러운 채소, 과일 등
4단계 수술 4주~	고단백식 열량 800~1,200 kcal/day, 단백질 60~80 g/day. 단백질 급원식품을 중심으로 채소, 과일, 전곡류 등 저열량, 저지방 식사 알코올, 카페인 함유된 음료, 탄산음료, 꿀, 설탕 등 단순당 식품 제한

참고문헌

1. Sarwer, D.B., et al., A pilot study investigating the efficacy of postoperative dietary counseling to improve outcomes after bariatric surgery. Surg Obes Relat Dis, 2012. 8(5): p. 561-8.

2. Tabesh, M.R., et al., Nutrition, Physical Activity, and Prescription of Supplements in Pre- and Post-bariatric Surgery Patients: a Practical Guideline. Obesity Surgery, 2019. 29(10): p. 3385-3400.

3. Isom, K.A., et al., Nutrition and metabolic support recommendations for the bariatric patient. Nutr Clin Pract., 2014. 29(6): p. 718-39. doi: 10.1177/0884533614552850. Epub 2014 Oct 6.

4. Mechanick, J.I., et al., Clinical practice guidelines for the perioperative nutritional, metabolic, and nonsurgical support of the bariatric surgery patient--2013 update: cosponsored by American Association of Clinical Endocrinologists, The Obesity Society, and American Society for Metabolic & Bariatric Surgery. Obesity (Silver Spring). 2013. 21(Suppl 1): p. S1-27. doi: 10.1002/oby.20461.

5. Handzlik-Orlik, G., et al., Nutrition management of the post-bariatric surgery patient. Nutr Clin Pract., 2015. 30(3): p. 383-92. doi: 10.1177/0884533614564995. Epub 2014 Dec 29.

11

소아환자에서의
영양지원

소아환자에서의 영양지원

- 소아는 고유의 특성(낮은 에너지 저장 능력, 높은 대사율)과 성장이라는 중요한 요소가 있어 빠르고 충분한 영양의 공급은 무엇보다 중요함

- 수술을 시행한 소아의 경우(특히 위장관계) 영양 공급의 제한이 발생할 가능성이 크며, 수술 후 임상경과를 악화시킬 수 있어 수술 초기 부터 적극적인 영양중재가 요구됨

- 장관영양이 일차적으로 선호되나 요구량에 대한 공급량의 지속적인 모니터링이 필요하며 필요시 정맥영양을 공급

- 영양지원에는 합병증에 대한 지속적인 모니터링이 반드시 필요함. 특히 정맥영양에 대한 합병증은 아직 극복하지 못한 과제이며, 이에 대한 지속적인 연구가 필요

1 서론

신생아를 비롯한 소아환자의 경우 영양 불균형에 노출되면 신체적인 성장이나 신경계 발달에 중대한 영향을 미치게 됨. 게다가 소아의 특성상 성인에 비해 에너지의 저장능력이 적고, 기초대사량이 많아서 성인에 비해 많은 영양공급을 요하고 있는데,[1] 특히 선천적 원인에 의한 위장관계 수술을 시행한 경우 장관의 미성숙이 동반되고 영양흡수능력이 상당부분 저하되어 있어 이에 대한 대비가 무엇보다 중요함.

본 장에서는 소아환자의 영양에 대한 특성을 살펴보고 수술을 받은 소아 환자에서 필요한 영양지원 방법 및 주의 사항에 대해 정리해 보고자함.

2 본론

1) 소아의 영양요구

만삭아로 태어난 신생아의 경우 내인성 지방(endogenous fat)을 약 600 g 정도 가지고 태어나는데, 이 때문에 며칠 정도(약 20일)의 영양공급이 부족한 환경에서도 생존은 가능함. 그러나 제태연령 24주 정도의 미숙아에서는 글리코겐 및 지방의 양이 현저하게 적어 약 2일 정도의 에너지 저장량만을 가지고 있게 되어 조속한 영양공급이 이루어 지지 않으면 저장된 에너지는 순식간에 고갈되어 버림. 따라서, 가능한 빨리 충분한 영양공급(기본적인 요구량을 상회하는 영양공급)을 시행하는 것이 중요함. 또한 연령대에 따라 나이가 어릴수록 기초대사량의 증가로 인한 영양요구량이 증가하므로 나이가 어릴수록 적극적인 영양공급이 이루어져야 함.[2,3]

표 1. Target caloric intake in infants and children

Age of child	Target caloric intake (kcal/kg/d)	
	Males	Females
Premature	110~120	110~120
0~1 month	113	107
1~3 months	100	97
3 months~1 year	80	80
1~4 years	82	78
5~8 years	73	70
9~13 years	64	58
14~18 years	53	47

소아에서 가장 이상적인 영양공급 경로는 당연히 구강을 통한 장관영양공급. 그러나 경구 영양공급이 불가능한 경우 인공적 장관영양(Artificial Enteral Feeding)이나 정맥영양(Parenteral Nutrition)이 필요한 경우도 있음. 이러한 인공적인 영양공급을 시행하게 되는 경우에는 환아의 상태에 따라 가장 생리적인 환경에 맞추어 영양공급경로를 선택하는 것이 바람직함(Gastric feed ≫ Jejunal feeds; Enteral feeds ≫ Parenteral feeds).

2) 소아의 성장관리

경구 영양공급이 정상적으로 시행된다 하더라도, 혹은 경구영 양식이의 불가능으로 인공경장영양이나 정맥영양을 시행하게 되는 경우 소아에서 영양의 효율성을 평가하기에 가장 좋은 지표는 환아의 성장상태임. 따라서 영양지원을 받는 모든 환아에서 성장에 대한 평가는 무엇보다 중요하며, 흔히 한국 표준 소아 성장 곡선을 많이 사용하고 있음(그림 1).[4]

3) 인공적 경관장관영양(Artificial Enteral Tube Feeding)

(1) 적응증(Indication)

① 신생아: 장관기능의 미성숙으로 인한 삼킴곤란 및 삼킴 장애

② 위배출 지연, 위-식도 역류, 장관의 운동장애, 크론병, 신경학적 장애, 중환자실에서의 인공환기

(2) 주입경로(Route)

① 비위관(nasogastric tube), 구위관(orogastric tube), 비-공장관 (nasojejunal tube), 위장루(gastrostomy), 위-공장루(gastro-jejunostomy), 공장루 (jejunostomy)

② 우리 신체의 생리적 소화기능을 많이 유지 할수록 좋음: 가능하면 위장을 통한 영양공급을 유지하는 것이 공장을 통한 영양공급보다 유리 (침, 위액의 효소, 위산의 항균효과,

설사나 덤핑증후군의 빈도를 감소시킬 수 있음)

③ Trans-pyloric feeding: 흡인 위험이 크거나 수술로 인해
변화된 해부학적 구조로 위장을 통한 급식이 어려울 경
우 이용함.

④ 신생아의 경우 코를 통해서만 호흡이 이루어지는 경우가
많아 비위관 보다는 구위관이 선호되나, 삽입의 용이성
은 비위관이 더 좋음(비위관 삽입을 하게 되는 경우 기도폐쇄
의 증상이 발생하는지에 대한 관찰이 필요).

⑤ 장기간(6~8주이상) 경관급식이 예상되는 경우에는 위루
술을 고려— 위루술은 개복, 복강경, 내시경을 이용해서
시술이 가능

⑥ 심한 위—식도 역류가 있는경우: 위루술 수술 시 항역류
수술(fundoplication)을 동시에 시행하는 것을 고려[5] (위—공
장루가 위루술과 항역류수술을 동시에 시행하는 것보다 좋은 결
과를 보고하는 연구가 있으나 아직 증거가 충분히 제시 되지는
않은 상태임)[6]

(3) 제제의 선택(Selection of enteral feeds)

① 모유가 가장 이상적임: 항균작용, 위장관 성숙과 신경발
달을 촉진시킴[7]

② 모유 이용이 어려울 경우 미숙아, 만삭아, 유아용 분유를
각각 사용할 수 있음.

③ 흡수장애가 동반된 환아의 경우 특수분유(disaccharide 흡
수장애: soy-based disaccharide free 분유, 지방흡수장애: MCT
분유, 단장증후군이나 신생아괴사성 장염으로 인한 심한 흡수장
애: elemental 혹은 semi-elemental 분유)를 사용

(4) **주입방법(Administration of enteral feeds)**

① Bolus, Continuous, Intermittent feeding

② Bolus feeding이 가장 이상적임: 생리학적으로 정상 수유
와 가까워 장관의 운동, 담즙산의 장-간 순환 및 담낭의
수축을 촉진시킴[8]

③ Bolus feeding이 불가능한 경우(위장운동저하 및 공장 영양)
에는 continuous feeding을 고려해야 하나, 주입펌프의
사용이 필요함

(5) **경장경관영양의 합병증(Complication of enteral tube feeding)**

① 기계적 합병증: 영양액의 누출, 튜브의 폐쇄, 영양튜브의
이탈, 튜브에 의한 장관천공.

② 감염: 급식용 장루의 감염이 발생할 수 있으며, 영양 튜
브의 비정상 세균의 증식으로 인한 장염의 발생가능성이
있음

③ 위-식도 역류 및 연관된 흡인성 폐렴[9]

④ 덤핑증후군과 설사[10]

⑤ 공장루을 가지는 환아의 경우 공장루가 원인이 되어 근위 장관, 또는 원위 장관의 폐쇄가 발생하는 경우가 있음

⑥ 영양공급부족: 위장관 수술을 시행한 신생아의 경우 수술 후에도 장관의 기능이 원활하지 못하는 경우가 발생함. 이 경우 장관을 통해 공급하는 영양의 부족으로 영양결핍이 발생하기도 함. ─ 보조적인 정맥영양을 통해서 요구량에 맞춰 영양공급을 하는 것이 중요함. 만일 장의 운동이 시작되고, 장관의 흡수능이 향상되는 경우 빠른 장관영양으로의 이행이 이루어지는 것이 좋음. 그러나 이러한 과정에는 상당한 시간이 필요한 경우도 많음.

⑦ 저나트륨혈증에 대한 대비: 특히 장루를 가지는 환아의 경우 소변의 나트륨농도를 확인해야 함. 나트륨은 아이의 성장에 많은 영향을 미치는 만큼, 혈중 나트륨 농도가 정상 이더라도 소변의 나트륨이 저하되면 사전에 적절한 나트륨의 공급이 필요함.[11]

⑧ 최소장관급식(Minimal enteral feeding; Trophic enteral feeding): 장관의 기능이 원활하지 않은 경우, 또는 위의 잔류량이 많은 경우 정맥영양을 근간으로 최소장관급식(1~3ml/hr continuous feeding)을 시도해 볼 수 있음. 이는 장관의 위축을 방지하고, 장관의 혈류량을 증가시키고, 소화효소의 활성을 증가시켜 장관 기능의 회복을 촉진시킬 수 있음.[12,13]

4) 정맥영양(Parenteral Nutrition)

(1) 적응증

① 장관영양이 불가능하거나, 불충분할 때 사용

② 가능한 짧은기간동안 사용하며, 장관영양이 가능하면 장
관영양으로 바로 이행되어져야 함.

③ 소아의 에너지 비축량[2]

　i. 만삭아에서 장관으로 에너지를 공급하지 못하는 경우
환아가 가지는 에너지 비축량은 약 3~4일 정도 임.

　ii. 소아에서의 에너지 비축량은 7일 정도임.

　iii. 따라서 상기 기간내에 장관을 통한 에너지 공급이 불
가능한 모든 환아에서 정맥영양의 적응증이 됨.

④ 외과적 영역의 환아에서 가장 흔한 적응증은 선천적 원
인의 위장관 기형에 의한 장관의 폐쇄.

⑤ 이외에 장마비, 괴사성 장염, 단장증후군등이 적응증에
해당.

⑥ 위장관 기형으로 수술한 경우에도 식도폐쇄나 십이지장 폐
쇄의 경우 문합부의 원위부까지 급식관을 삽입하고 급식이
원활히 이루어지는 경우에는 정맥영양을 하지 않기도 함.

(2) 주입경로

① 주로 중심정맥을 통해 영양을 공급(Eg. H-cath, Perm-cath,
Hickman catheter, chemo-port, PICC, Umbilical vein catheter)

(3) 정맥영양의 구성요소(Component of parenteral nutrition)

① 정맥영양의 주된 에너지 원은 탄수화물과 지방

② 단백질의 경우 에너지지원보다는 성장에 필요한 중요한 요소로 간주

③ 이상적인 정맥영양의 조성: 단백질의 대사및 조직의 성장을 위한 충분한 아미노산의 공급과 에너지를 위한 단백질의 이화작용을 최소화 할 수 있는 충분한 칼로리의 공급

④ 정맥영양을 공급받는 환아의 경우 장관영양으로 공급하는 에너지 요구량의 10~20% 정도 낮게 공급 (배설이나 흡수불량등으로 소실되는 에너지 소실이 적다고 가정)

⑤ 정맥영양은 주로 24시간 공급하는데 지방의 경우 TG의 clearance를 고려하여 4시간 정도 휴지기를 유지

⑥ 구성요소

   i. 수액양(fluid requiements)

표 2. Daily fluid requirements for pediatric patients

Body Weight	Amount
<1500 g	130~150 mL/kg
1500~2000 g	110~130 mL/kg
2~10 kg	100 mL/kg
>10~20 kg	1000 mL for 10 kg + 50 mL/kg for each kg>10
>20 kg	1500 mL for 20 kg + 20 mL/kg for each kg>20

❖ 수액공급과 이로인한 세포외액의 수액조성의 변화
는 특히 신생아의 경우 빠르게 나타남.

❖ 수술을 시행한 신생아의 경우에는 이러한 변화
가 수술 시작과 동시에 또는 정맥영양을 시행하
는 동시에 일어나게 되어, 이러한 환아에서 fluid
overload가 쉽게 발생

❖ 이러한 이유로 정맥영양을 시행하는 환아에서는 상
태가 안정화될 때까지 매일 환아의 필요수액양을
산정하고, 체중변화 및 전해질 변화를 관찰해야 함.

❖ 과도한 수액의 공급은 폐부종, 동맥관 폐쇄부전
(failure of closure of patent ductus arteriosus) 등이 발생
할 수 있음.

❖ 반면, 수액의 제한은 특히 요구량에 현저히 적은 수
액의 공급은 영양공급의 부족으로 이어지기도 함

ii. 탄수화물(up to 18g/kg/d in infants <10 kg, up to 12g/kg/d
in older children)

❖ 탄수화물은 신체 세포의 주된 에너지 공급원이며,
비 단백질 칼로리의 60~70%를 담당하는 정맥영
양의 일차적인 에너지원

iii. 지방(up to 3g/kg/d)[14, 15]

❖ 지방은 탄수화물과 함께 등장성의 높은 에너지를
공급하며, 필수지방산의 결핍을 방지하고, 지용성

비타민의 공급을 촉진

❖ 탄수화물과 지방을 함께 공급하는 경우, 탄수화물 만 공급할때 보다 대사율(metabolic rate)과 이산화탄소 발생률을 낮추고 에너지 이용의 효율성을 증대. (Metabolic advantage)

❖ 일반적으로 영유아의 경우에 1g/kg/day의 공급량으로 시작하여 하루에 1g/kg씩 늘려 최대 3g/kg/day까지 공급할 수 있음.

iv. 아미노산(up to 3g/kg/d in infants, and 1.5~2.0g/kg/d in older children)

❖ 일반적인 건강한 성인이 neutral nitrogen balance를 보이는 반면, 소아의 경우에는 성장과 발달을 위한 positive nitrogen balance를 보임[16]

❖ 미숙아의 경우 탄수화물만 공급받게 되는 경우 급격한 단백질의 소실이 관찰 (1~2% body protein/day) 따라서, 이러한 미숙아의 경우 적절한 장관영양을 시행하지 않는 경우 적어도 1~1.5 g/kg/d 이상의 아미노산을 정맥으로 공급 받아야 함.

v. 전해질(sodium 2~4 mmol/kg/d infants, 1~3 in children; potassium 0~3 mmol/kg/d)

❖ Chloride, calcium, phosphate 등의 전해질은 환아의 임상경과와 밀접한 연관

표 3. Daily electrolyte and mineral requirements for pediatric patients

Electrolyte	Preterm Neonate	Infants/Children	Adolescents
Sodium	2~5 mEq/kg	2~5 mEq/kg	1~2 mEq/kg
Potassium	2~4 mEq/kg	2~4 mEq/kg	1~2 mEq/kg
Calcium	2~4 mEq/kg	0.5~4 mEq/kg	10~20 mEq
Phosphorus	1~2 mmol/kg	0.5~2 mEq/kg	10~40 mmol
Magnesium	0.3~0.5 mEq/kg	0.3~0.5 mEq/kg	10~30 mEq

vi. 비타민

❖ 지용성 비타민(A, D, E, K)와 수용성 비타민 (B, C, pantothenate, biotin, folic acid)을 영양수액에 첨가 – 주로 복합제를 사용함.

vii. 미량원소(Fe, zinc, copper, manganese, selenium, fluoride and iodide)

❖ 또한 복합제로 공급되며, 장기간 경관영양을 시행하는 경우 영양수액에 첨가하여 공급

표 4. Daily parenteral trace element requirements (A.S.P.E.N)

Age Group	Zinc	Copper	Manganese	Chromium	Selenium
Adults (mg/d)	2.5~5	0.3~0.5	0.06~0.1	0.01~0.015	0.02~0.06
Adolescents>40 kg (mg/d)	2~5	0.2~0.5	0.04~0.1	0.005~0.015	0.04~0.06
Preterm infants <3 kg (µg/kg/d)	400	20	1	0.05~0.3	1.5~2
Term infants 3~10 kg (µg/kg/d)	50~250	20	1	0.2	2
Children 10~40 kg (µg/kg/d)	50~125	5~20	1	0.14~0.2	1~1

viii. 물

❖ 영양수액의 삼투압을 낮추기 위해 필요하며, 필요
    양은 환자의 체액상태(fluid status)에 따라 달라짐

(4) 정맥영양의 합병증

■ Mechanical catheter complications[17]

- 혈전, 카테터 위치의 이상 등
- 경관 영양의 혈관외 누출이 흔한 합병증
- 비록 삼투압이 낮더라도 혈관의 자극이 일어날 수 있
  으며 이로인해 영양액의 혈관외 유출및 이로인한 염증
  과 조직의 괴사까지 나타날 수 있음.
- 정맥관은 혈전의 형성, 칼슘의 침전, 지방의 침착으로
  막힐 수 있다.

■ Metabolic complications

- Hyper- or hypo-glycemia, hyperTG, and 전해질 변화
  - Fluid overload[18]
- 부종 및 동맥관 개존(폐쇄부전)을 유발할 수 있음
- Infection[17, 19]
- 수술을 받고 경관영양을 시행하는 환아에서 적어도 한
  번의 패혈증이 발생하며, 이중 30% 정도는 적어도 한
  번이상의 혈액내 균이 배양되는 것으로 보고됨
- 카테터 감염은 충분한 주의를 기울이면 예방이 가능하

며, (Chlorhexidine antisepsis) 매우 주의깊게 모니터링 해야 함

- 장관에서의 균의 이동이 주요한 감염원이 되기도 함

■ Cholestasis[20, 21]

- 경관영양을 시행하는 환아에서 발생하는 가장 흔한 간담도계 합병증 (PN associated cholestasis, PNAC)

- 이러한 담즙정체(Cholestasis) 자체의 임상적인 중요성은 아직 잘 알려지지 않았으나 이를 치료하지 않을경우 intestinal failure associated liver disease (IFALD)가 발생할 수 있으며, 이는 사망에 이르거나, 간이식이 필요한 경우까지 발생할 수 있음.

- 이러한 PNAC의 발생률은 정맥영양을 받는 기간에 영향을 받으며, 2달 이상 정맥영양을 받은 환아의 60%에서 발생하는 것으로 알려짐.

표 5. Clinical factors contribute to the development PNAC

• Prematurity	• Septicemia
• Low birth weight	• Failure to implement enteral nutrition
• Duration of PN	• Short bowel syndrome due to resection
• Immature entero-hapatic circulation	• The number of laparotomies
• Intestinal microflora	• Gastroschisis or jejunal atresia

- 이를 시사하는 적절한 표지자는 없는 상태로 다

른 빌리루빈이 증가할 만한 질환(eg. Inborn error of metabolism, biliary atresia, choledochal cyst) 등을 배제함으로서 진단

표 6. Etiology of PNAC/IFALD: remains unclear

• The toxicity of components of PN • Lack of enteral feeding • Continuous non-pulsaatile deliver of nutrients	• Host factor • Infection and sepsis

- Lipid component of PN; 연관이 있음
  - 지방의 주입양 감소
  - 10% fish oil의 lipid emulsion 사용
  - LCT and MCT TG의 흡합물이 섞여 있는 lipid emulsion 사용
  - Soybean, medium-chain, olive and fish triglyceride 등의 혼합 lipid emulsion 사용

■ 정맥영양을 받는 환아는 정맥영양이 공급되는 시점부터 (이때가 특히 더 중요함) 주의 깊은 모니터링은 매우 중요

■ CBC, ELE, BGA, urea/creatinine, glucose, calcium/phosphate, albumin, liver function test (esp. bilirubin), and cholesterol/triglycerides

- 장기간 정맥영양을 공급받는 환아에서는 비타민과 미량원소도 반드시 고려되어야 함
- 정맥영양은 환아의 임상상태, 검사결과, 장관영양의 공급에 따라 개개인에 맞춰 공급되어야 함

참고문헌

1. Pierro A, Eaton S. Metabolism and nutrition in the surgical neonate. Semin Pediatr Surg. 2008;17(4):276-84.

2. Denne SC PB, Leitch CA, Ernst JA, Lemons PK, Lemons JA. Nutrition and metabolism in the high-risk neonate. n: Martin RJ, Fanarof AA, Walsh MC, eds Fanaroff and Martin's neonatal-perinatal medicine 8th edn Philadeplhia, PA: Mosby-Elsevier,. 2006:661-93.

3. Mirtallo JM. Complications associated with drug and nutrient interactions. J Infus Nurs. 2004;27(1):19-24.

4. JS M. Application of 2007 Korean National Growth Charts: growth curves and tables. Korean J Pediatr Gastroenterol Nutr. 2009;12:1-5.

5. Chowdhury MM PA. Gastrointestinal problems of the newborn. In: Guandalini S, ed Textbook of pediatric gastroenterology and nutrition London: Taylor and Francis. 2004:579-98.

6. Wales PW, Diamond IR, Dutta S, Muraca S, Chait P, Connolly B, et al. Fundoplication and gastrostomy versus image-guided gastrojejunal tube for enteral feeding in neurologically impaired children with gastroesophageal reflux.

J Pediatr Surg. 2002;37(3):407-12.

7. Pittard WB, 3rd. Breast milk immunology. A frontier in infant nutrition. Am J Dis Child. 1979;133(1):83-7.

8. Jawaheer G, Shaw NJ, Pierro A. Continuous enteral feeding impairs gallbladder emptying in infants. J Pediatr. 2001;138(6):822-5.

9. Bastow MD. Complications of enteral nutrition. Gut. 1986;27 Suppl 1:51-5.

10. McCann C, Cullis PS, McCabe AJ, Munro FD. Major complications of jejunal feeding in children. J Pediatr Surg. 2019;54(2):258-62.

11. Mansour F, Petersen D, De Coppi P, Eaton S. Effect of sodium deficiency on growth of surgical infants: a retrospective observational study. Pediatr Surg Int. 2014;30(12):1279-84.

12. Moore FA, Feliciano DV, Andrassy RJ, McArdle AH, Booth FV, Morgenstein-Wagner TB, et al. Early enteral feeding, compared with parenteral, reduces postoperative septic complications. The results of a meta-analysis. Ann Surg. 1992;216(2):172-83.

13. Aunsholt L, Qvist N, Sangild PT, Vegge A, Stoll B, Burrin DG, et al. Minimal Enteral Nutrition to Improve Adaptation After Intestinal Resection in Piglets and Infants. JPEN J

Parenter Enteral Nutr. 2018;42(2):446-54.

14. Nose O, Tipton JR, Ament ME, Yabuuchi H. Effect of the energy source on changes in energy expenditure, respiratory quotient, and nitrogen balance during total parenteral nutrition in children. Pediatr Res. 1987;21(6):538-41.

15. Van Aerde JE, Sauer PJ, Pencharz PB, Smith JM, Swyer PR. Effect of replacing glucose with lipid on the energy metabolism of newborn infants. Clin Sci (Lond). 1989;76(6):581-8.

16. Ziegler EE, O'Donnell AM, Stearns G, Nelson SE, Burmeister LF, Fomon SJ. Nitrogen balance studies with normal children. Am J Clin Nutr. 1977;30(6):939-46.

17. Reitzel RA, Rosenblatt J, Chaftari AM, Raad, II. Epidemiology of Infectious and Noninfectious Catheter Complications in Patients Receiving Home Parenteral Nutrition: A Systematic Review and Meta-Analysis. JPEN J Parenter Enteral Nutr. 2019.

18. Calkins KL, Venick RS, Devaskar SU. Complications associated with parenteral nutrition in the neonate. Clin Perinatol. 2014;41(2):331-45.

19. Bishay M, Retrosi G, Horn V, Cloutman-Green E, Harris K, De Coppi P, et al. Chlorhexidine antisepsis significantly reduces the incidence of sepsis and septicemia during

parenteral nutrition in surgical infants. J Pediatr Surg. 2011;46(6):1064-9.

20. Lauriti G, Zani A, Aufieri R, Cananzi M, Chiesa PL, Eaton S, et al. Incidence, prevention, and treatment of parenteral nutrition-associated cholestasis and intestinal failure-associated liver disease in infants and children: a systematic review. JPEN J Parenter Enteral Nutr. 2014;38(1):70-85.

21. Carter BA, Shulman RJ. Mechanisms of disease: update on the molecular etiology and fundamentals of parenteral nutrition associated cholestasis. Nat Clin Pract Gastroenterol Hepatol. 2007;4(5):277-87.

그림 1. 한국소아 표준 성장 곡선

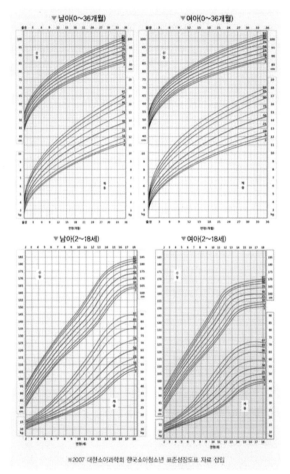

※2007 대한소아과학회 한국소아청소년 표준성장도표 자료 삽입

보건복지부 · 대한의학회